Dyddiadur

HILMA LLOYD EDWARDS

Nant y Wrach

Dyddiadur 1915

CYHOEDDIADAU MEI

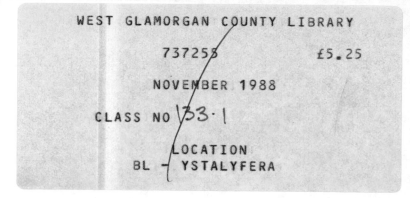

Rhannol ddychmygol yw'r dyddiadur hwn, gan i ddarnau ohono gael ei seilio ar blentyndod fy nhaid, George Evans, a fy nain, Margaret Parry.

Ganwyd a magwyd Taid yn Bontnewydd, ac fel llawer eraill, dywedodd gelwydd am ei oed er mwyn cael mynd i'r rhyfel. Derbyniodd ei deulu lythyr swyddogol yn dweud iddo gael ei ladd, ond ymhen amser wedyn, er syndod mawr i bawb, cyrhaeddodd adref ar ôl treulio wythnosau mewn ysbyty yn Ffrainc.

Hanai fy nain o Lanllyfni, ac arni hi y seiliais gymeriad y ferch sy'n adrodd y stori.

Hilma Lloyd Edwards

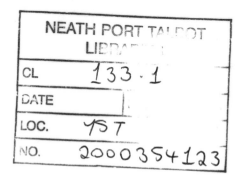

Ionawr

Ionawr 1af: Dyma'r flwyddyn newydd wedi dŵad o'r diwedd, a finnau'n cael sgwennu am y tro cynta un yn y llyfr tlws yma a gefais i'n bresant Nadolig gan yr hen Miss Lewis, y Fronddu — am 'mod i'n hogan dda, medda' hi, yn cario wya' i lawr iddi bob wythnos, fel cloc. Mi ddylwn i sgwennu ynddo fo bob un diwrnod, medda' hi, a dweud be' dwi wedi bod yn ei 'neud yn ystod y dydd, fel y bydd o gen i wedyn yn gronicl i'w gadw am byth.

Dydi 1915 ond diwrnod oed heno, ond erbyn y bydda i'n hen wraig mi fydda i wedi anghofio pob dim amdani hi, a be' ddigwyddodd i mi yn ei hystod hi, ond os rho i o i lawr, mi fydd yn gofnod i mi, ac yn gysur i mi pan ddaw dyddia' henaint. Dyna ddeudodd Miss Lewis, ac mae'n siŵr ei bod hi'n iawn. Dwn i ddim byd am henaint eto.

Dydw i 'rioed wedi cadw dyddiadur o'r blaen chwaith. Dwn i ddim os medra i gofio sgwennu ynddo fo bob nos, heb fethu dim un, ond mi wnes i adduned neithiwr, yn 'y ngwely, y triwn i 'ngorau, a gwneud yn siŵr 'mod i'n sgwennu mor aml â medra i. Dwi wedi dechrau arni heno beth bynnag, on'd do, mi fydd raid i mi gario 'mlaen rŵan, neu mi fydd y llyfr bach del 'ma wedi'i ddifetha, a fynnwn i mo hynny ar unrhyw gyfri.

Chefais i ddim aros ar fy nhraed neithiwr, i'r flwyddyn newydd ddod i mewn. Mi oedd yn rhaid i Lisi'n chwaer a finna, a Defi John wrth gwrs, fynd i'n gwlâu 'run amser ag arfer, am ein bod ni'n rhy ifanc eto, medda' Tada, ond mi ddaru ni aros yn effro p'run bynnag, er mwyn cael clywed y cloc mawr yn taro deuddeg yn y gegin. Mi gafodd Ifan 'y mrawd mawr aros ar ei draed, siŵr iawn — 'tydi o'n cael gneud pob dim — ac mi glywn i Tada, Mama a fonta wrthi'n canu hen ganeuon wrth aros hanner nos. Mi aeth yn ddistaw wedyn, dim ond sŵn y cloc, ac ew! mi fuodd yn hir nes taro tro cynta, ac ar ôl iddo fo orffan, wel, "Blwyddyn Newydd Dda," "Blwyddyn Newydd Dda," oedd hi wedyn, a'r tri ohonyn nhw'n siarad a chwerthin mor uchel fel na wn i sut roeddan nhw'n disgwyl i ni'r plant ienga fod yn cysgu. Beth bynnag, mi wnes i a Lisi sibrwd "Blwyddyn Newydd Dda" wrth ein gilydd yn ddistaw bach, a chuddio'n penna' dan y blancedi wedyn, rhag i neb wybod ein bod ni'n effro. Mi glywais i lais Tada wedyn, yn deud darn o weddi, dwi'n meddwl, ond chlywais i mo'r drws wrth i Ifan fynd am ei wely yn y llofft bach wrth ben y stabal. Mae'n rhaid 'mod i wedi cysgu go iawn erbyn hynny.

Doedd dim rhaid gorfodi'r un ohonon ni i godi'n gynnar bora heddiw. Am mai fi ydi'r hyna ohonon ni'n dwy, mi wnes i blethu gwallt Lisi yn ddel, ddel, ac mi ddaru Mama 'ngwallt i wedyn. Roeddan ni'n dwy wedi molchi yn y badall bach, ac wedi rhoi bratia' gwyn glân amdanan, a gneud ein hunain i edrych yn smart ofnadwy. Mi aeth yr uwd i lawr y lôn goch ar ei union. "Bobol mawr," meddai Mama, "biti na fasa hi'n hel Clennig arnach chi bob dydd, mi faswn yn eich cael chi am yr ysgol 'na'n gynt o'r hannar." "Os buasa' ni'n hel Clennig bob dydd, fuasa ni byth yn mynd i'r ysgol, siŵr," medda' Defi

9

John, gan feddwl 'i fod o'n deud rhwbath clyfar, ond mi gafodd gaead ar ei bisar reit handi gan Mama. "Cau dy gôt yn iawn cyn mynd allan, a dyro grib drwy'r mwng 'na. Wyt ti ishio i bobol feddwl mai moch sy'n byw yma?"

Deud y gwir, doedd Lisi a fi ddim ishio i Defi John gael dod efo ni i hel Clennig. Dydi o 'rioed wedi bod o'r blaen, ond mi ddeudodd Mama, am 'i fod o wedi dechrau'r ysgol, y câi o fynd efo ni, a pheth arall, doedd hi ddim ishio fo dan draed drwy'r dydd.

Roedd hi'n fendigedig cael rhedeg drwy'r eira a'i glywed o'n crensian wrth i'n clocsia' ni suddo i mewn iddo fo. Mi oeddan ni wrth ein bodd yn lluchio peli eira at ein gilydd, ac mi oedd Defi John fel peth gwirion, yn meddwl medra' fo roi pêl eira yn ei dafler! Mi oedd 'na rigola' bach o ddŵr wrth ochr y ffordd, a'r rheini wedi rhyw hanner rhewi, wedyn be' oeddan ni'n 'neud ond torri briga' oddi ar y coed, a gneud tylla' yn y rhew efo'r briga' nes i fod o'n torri a gneud patrymau bach 'run fath â blodau.

10

Yn Tyddyn Parthle y galwon ni gynta — cnocio'r drws a chanu, a wir mi geuson ni frechdan fêl gan Mrs Hughes, clamp o frechdan dew bob un, ac mi oedd hi'n werth cerdded yr holl ffordd yno tasa hi'n bwrw hen wragedd a ffyn, i gael honno.

"Blwyddyn Newydd Dda, Mrs Hughes," medda' ni.

"A chitha, 'mhlant i," medda' hi, "fydda i wrth fy modd eich gweld chi'n dŵad."

"'Dan ni wrth ein bodd dŵad 'efyd," meddan ni, ac roedd hi'n falch ein bod ni.

Aethon ni yn ein blaenau i Gae Mawr wedyn, a chael sleisan o bwdin 'Dolig oer bob un, ond ein bod ni'n cael eistedd wrth y tân mawr yn y gegin i'w fyta fo. Afal gawson ni yn Tyddyn Gwŷdd, ac mi ddaru'r hen ŵr yn y bwthyn bach wrth ochr y lôn ar y ffordd o Tyddyn Gwŷdd roi crystyn i ni, un crystyn a'i dorri o'n dri darn, a lot, lot o fenyn — 'i roid o arno fo efo'i fys o'r ddesgil. Ew, roedd o'n dda, ac mi oedd ishio cnoi gymaint arno fo nes ein bod ni adra bron iawn cyn gorffan.

Ionawr 3ydd: Mae hi'n eira o hyd. Does yna ddim mwy wedi dod i lawr, ond mae hwn wedi rhewi'n gorn, a Tada'n deud bydd o yma am ddyddia' nes daw 'na fwy i'w nôl o.

'Nhro fi oedd hi i borthi'r gwartheg heddiw, cario dipyn o wair iddyn nhw o'r das. Gas gen i'r ogla' yn y beudy, ond dwi'n dipyn o ffrindia' efo Seren a Pegi. Fydda i'n licio'u gweld nhw'n sglaffio'r gwair, a sbio i fyny arna i wedyn a'u gwynt nhw fath â mwg yn dod o'u ffroena' nhw wrth 'i bod hi mor oer. O! mae gynnyn nhw ll'gada' neis, ac maen nhw'n sbio fel tasan nhw'n deud, "Diolch i ti am roi bwyd i ni a ninna'n rhynnu."

Fedran nhw siarad efo'i gilydd, tybad? Os medran nhw, maen nhw'n tantro mae'n siŵr, am eu bod nhw wedi'u cau yn y beudy drwy'r dydd am na fedran nhw bori yn yr eira. Dydyn nhw ddim yn ffond iawn o'r eira dwi ddim yn meddwl. Er 'i bod hi'n oer, mi oedd yn ddiwrnod reit braf heddiw, a'r awyr yn olau, ond 'i bod hi'n rhyw lwyd hefyd. O! mi fydda i'n falch pan fydd y dydd yn dechra' 'mestyn dipyn. Mi fyddwn ni'n cael mynd i'n gwlâu yn hwyrach pan fydd hi'n hwyrach yn twllu.

Dwi ddim yn meddwl y gwna i lawer o wniadreg. Mae Mama'n byrddio Lisi a finna i 'neud rhyw hen samplars — deud y byddan nhw'n neis wedi'u gorffan a'u fframio, ac mi fuo'n rhaid i ni'n dwy fod wrthi efo nhw heno am oria'. Esgob, mi fu'n gyda'r nos hir heno. Well gen i weu sana' o lawar.

Mae Lisi a Defi John yn meddwl 'i fod o'n ddoniol 'mod i'n sgwennu hanes bob dydd i lawr fel hyn, ond dydyn nhw ddim yn dallt — dwi'n hŷn na nhw.

Mae'r gannwyll 'ma bron wedi llosgi allan, a gan mai hon 'dan ni i fynd efo ni i'r groglofft, mae'n well i mi orffen sgwennu tan fory, neu fydd gynnon ni ddim gola' i dynnu amdanon. Anghofiais i sgwennu ddoe, ond o gwmpas fama fues i.

Ionawr 4ydd: Diwrnod dwytha'r gwylia' — mi fyddwn yn mynd am yr ysgol ddydd Llun.

Mi ddaeth Wil Tom a Morus, hogia'r Lodj, i fyny i chwara' hefo ni, a deud bod 'na griw o dop pentra yn mynd i sglefrio ar yr afon, yn caea' Ffatri, pnawn 'ma. Geuson ni fynd efo nhw, am 'i bod hi'n ddiwrnod dwytha.

Mi oedd yr afon yn galed, galed ac roeddan ni'n medru sglefrio ar ei hyd hi am hir iawn, criw mawr ohonan ni — mi oedd hi fath â diwrnod ffair yna. Fuon ni'n lluchio peli eira at ein gilydd wedyn, rhannu'n ddau dîm. Dwn i ddim pa ochr ddaru ennill achos mi fuodd Defi John ac un o'r hogia' er'ill yn neidio ar y rhew, meddwl eu bod nhw'n glyfar, ac mi dorrodd hwnnw'n do, ac mi hannar-syrthion nhwtha i'r afon. Ddaru'r hogia' mawr eu tynnu nhw allan, ond roeddan nhw'n socian at 'u crwyn, a fuo raid i Lisi a fi fynd â Defi John adra.

Gafodd o row iawn am beidio bihafio, ac mi fuo'n rhaid iddo fo fynd i'w wely'n syth a chael saim gŵydd ar ei wddw rhag ofn iddo fo ddal annwyd a methu mynd i'r ysgol ddydd Llun. Ha ha!

Ionawr 6ed: Mae Defi John yn well ac wedi cael codi heddiw, ond cheith o ddim mynd allan tan fory. Mae o'n gorfod wardio wrth y tân, a darllen dipyn er mwyn i Mama gael gweld sut mae o'n dod ymlaen efo hynny.

Dwi'n siŵr 'i fod o'n difaru neidio ar y rhew.

Ionawr 7fed: Ysgol oedd hi heddiw. Roedd hi'n braf gweld pawb ar ôl y gwylia' a chlywed sut hwyl gafon nhw dros y 'Dolig. Roedd Tada'n mynd i lawr i Bont efo llefrith a wya' bora 'ma, felly doedd dim rhaid i ni gerdded, mi gawson ni a'n piseri fynd yn y drol yr holl ffordd. Roeddan ni'n licio eistedd ac edrych tuag yn ôl, a gweld siâp yr olwynion yn gneud llwybra' yn yr eira.

Am bod yr eira'n ddrwg yn y brynia', mi oedd 'na dipyn o blant heb ei mentro hi am yr ysgol. Geuson ni awr ginio hirach nag arfer, o achos hynny, ac mi oedd gynnan ni lot o straeon i ddweud wrth ein gilydd tra oeddan ni'n bwyta'n bara llefrith rownd y stôf bach yn rŵm Mrs Davies.

Mi gerddon ni adra, ac mi oeddan ni wedi blino hefyd, er ein bod ni wedi hen arfer â'r daith. Y tro cynta ar ôl y gwylia' —

dyna pam, mae'n siŵr — ac mi oeddan ni'n barod am y powliad uwd oedd yn aros amdanon ni ar ôl cyrraedd adra.

Ionawr 12fed: Does yna ddim mwy o eira wedi dod i nôl hwn fel deudodd Tada, ac mae o'n dechrau clirio — mapia' brown yn dod i'r golwg ar y mynyddoedd. Does dim gwahaniaeth am hynny yn ôl Tada. Chân ni ddim gwared â'r eira yma nes bydd mwy wedi dod.

Mae hi'n noson reit gynnes heno, a fawr o dynnu ar y tân yn y simdda — efallai mai heno y daw o.

Mae pwl o annwyd trwm wedi dod dros Tada, a'i lais o wedi mynd i gyd. Ifan ddaru gadw dyletswydd yn ei le o heno, dydi o 'rioed wedi gneud hynny o'r blaen.

Mae Mama'n deud y dyla hi holi'r hen Alsi, Tŷ Cam, i weld be' geith o gymryd at ei wddw, ond peryg' na chym'ra' fo mono fo wedyn.

Mama'n deud ei bod hi wedi gwella llawer o bobol fasa wedi marw yn ôl doctoriaid y dre. Tada'n deud ei bod hi wedi lladd rhai fasa wedi byw hefyd. Beth bynnag, amser annwyd ydi hi'r adeg yma, medda' fo.

Mae hi'n amser i rwbath o hyd.

Ionawr 22ain: Mae hi wedi bwrw eira drwy heddiw, plu mawr, mawr a'r awyr yn dywyll, dywyll. Ddaru nhw'n hanfon ni adra o'r ysgol yn gynnar, rhag ofn iddi gau o eira, ac mi redon ninna am adra cynta medron ni. Roeddan ni'n stopio ac ysgwyd ein pennau bob hyn a hyn, a chwerthin wrth weld cymaint o eira oedd yn syrthio odd' ar ein capiau ni.

Mi oedd Jên bach, Cae Hen, efo ni, ac mi gafodd hi ddŵad acw i gael te, am bod Jim ei brawd hi'n sâl, heb fynd i'r ysgol, a hitha ofn cerddad adra 'i hun. Tada ddaru'i danfon hi adra ar ôl iddi gael panad boeth a brechdan. Mi oedd hi wedi stopio bwrw eira erbyn hynny, ond 'i bod hi'n dywyll ofnadwy o hyd.

Ionawr 24ain: Tywydd mawr o hyd. Mi fuo'n lluwchio ddoe a'r gwynt fel chwip.

17

Ddaethon ni ddim allan o'r tŷ, ond bod Tada'n gorfod bod o gwmpas ei betha' fel arfer, ac Ifan wedi mynd i Bronant ers toriad gwawr. Dydi fan'no ddim ond lled dau gae o 'ma, ac mae Ifan wedi bod yn borthor yno ers yr ha dwytha. Ei le cynta fo'n gweini.

Newydd ddod adra mae Tada yn wlyb at ei groen. Robaits, Cae Hen, wedi colli defaid o achos yr eira, a Tada wedi mynd efo fo i chwilio amdanyn nhw. Mae hi'n ddiawchedig ar y brynia' 'na, medda' fo.

Mi fuo'n rhaid i Lisi a fi gymryd at yr hen samplars 'na eto, am ein bod ni wedi mynnu cael aros ar ein traed nes deuai Tada adra, a chaethan ni ddim gneud hynny, heb ein bod ni'n gneud rhwbath o werth efo'n hamsar!

Ionawr 28ain: Y gwynt wedi mynd i lawr a'r eira'n mynd i'w ganlyn o.

Pen-blwydd Mama heddiw, ac wrth lwc, mi ddaethon ni o hyd i glwstwr bach o eirlysiau'n swatio wrth fôn y goedan fawr 'na sydd wrth ochr gatiau Plas Bryn, pan oeddan ni ar ein ffordd adra o'r Ysgol Sul.

18

Roedd pobol y Lodj yn deud y cawsan ni row iawn tasa Syr y Plas yn ein gweld ni'n 'u dwyn nhw, yn enwedig a hithau'n ddydd Sul, ond mynd â nhw ddaru ni beth bynnag.

Mi oedd Mama wrth ei bodd yn eu rhoi nhw yn y jwg bach pridd ar sil y ffenast, ac mi oeddan ni'n falch ein bod ni wedi'u cymryd nhw.

Chwefror

Chwefror 1af: Dda gen i mo'r mis bach, ac mi fydda i'n falch pan fydd o wedi mynd heibio. Pan fydda i'n meddwl am Chwefror, mi fydda i'n meddwl am law bob amser. Hen fis glyb ydi o i mi.

Wnes i ddim mwynhau'r gwasanaeth yn 'rysgol bora 'ma chwaith. Mi fydd Mr Jones yr *Head* yn gofyn cwestiyna' i ni fel arfar, ar ôl i ni ganu'r emyn ac iddo fo weddïo wedyn, ond ddaru o ddim heddiw 'ma. Yn lle hynny, mi oedd yn rhaid i ni i gyd sefyll yn stond heb symud smic, am ddau funud, i gofio am Robat Ellis, Tyrpaig Isa, am 'i fod o wedi cael ei ladd yn y rhyfal.

Mi oedd 'na rai o'r plant 'fenga'n crio ac mi oedd Mr Jones a'r *teachers* yn edrach yn sad ofnadwy a deud nad oedd o fawr o oed ac wedi'i gipio ym mlodau'i ddyddiau ym meysydd Ffrainc, a phetha' felly. Oes 'na floda yn y caeau tua Ffrainc 'na yn y gaea, tybad? Mi oedd Ifan yn nabod Robat Ellis yn iawn, efo fo y bydda fo'n mynd i 'sgota, a dwi'n 'i gofio fo'n dod yma'n amal wedi iddi dwllu, pan oeddan nhw ill dau wedi bod yn potsio. Mi oedd o o hyd yn deud storis am 'sbrydion a phetha' wrth Lisi a fi, ac mi oeddan ni ofn yn ein crwyn. Fydda Defi John wrth ei fodd efo fo.

Ddaru o ddim rhoid 'i fywyd am ddim byd, medda' Mr Jones, ac mae o'n gwbod pob dim.

Doedd yna ddim llawar o chwerthin ar iard yr ysgol amsar chwara' bora 'ma, ond mi oedd y rhai 'fenga wedi anghofio erbyn y pnawn.

Sgwn i efo pwy eith Ifan i botsio 'leni?

Diwrnod tamp annifyr fuodd hi heddiw 'ma. Ddaru hi ddim bwrw glaw, ond bod 'na ryw hen damprwydd yn hongian yn yr awyr, yn ôl Mama.

Mi ddaru godi dipyn at y pnawn, ac wrth gerddad adra mi welwn i bod y gwellt yn y caea' wrth ochr y lôn yn wyrdd neis yr un fath yn union â tasa hi'n ganol ha. Ddaru ni stopio wrth y giât i roi 'o bach' i Sam y merlyn, ond mi oedd o'n rhy brysur yn pori, doedd o ddim ishio chwara' efo ni. Doedd o

21

ddim am i ni ei 'styrbio fo. Mi ddaru ni sylwi bod y cae wedi'i ddotio efo twmpatha' bach pridd y tyrchod daear, rheini wedi dod i'r golwg 'leni eto, ac mi wnaeth hynny i mi feddwl am Robat Ellis, dwn i ddim pam.

Mi ofynnes i i Tada am y rhyfal heno, ac mi ddeudodd o 'i bod hi'n bechod o beth bod hogia' ifanc fath â Robat Ellis yn mynd ar 'u penna' i rwbath na wyddan nhw ddim be' ydi o. Mae o'n gwilydd i wlad grefyddol, medda' fo. Dydi o ddim ishio i ni sôn amdano fo eto, 'di o ddim yn iawn, medda' fo.

Chwefror 5ed: Welson ni enfys ddigon o ryfeddod heddiw. Mi fuodd hi'n gneud cawodydd trymion ers y bora bach, ac mi gawson ni'n dal mewn clamp o gawod ar y ffordd i'r ysgol, a'n socian drwyddan. Fuo'n rhaid i ni dynnu'n dillad a rhoi *overalls cookery* amdanan tra oeddan nhw'n sychu. Mi oedd hi'n bwrw cymaint nes y bu'n rhaid i ni aros yn yr *hall* amsar chwara', ond mi oedd hi'n gynnes neis yn fan'no. Roeddan ni'n medru pipian allan drwy'r ffenestri i weld y glaw yn pistyllu i lawr, roedd o fel cyrtan mawr ar draws bob man.

Pan ddaru'r glaw stopio, mi sylwodd Mr Jones bod 'na anferth o enfys wedi dod i'r golwg, ac mi wnaeth o orffen y wers yn gynnar er mwyn i bawb gael ei gweld hi. Mi oedd hi mor fawr nes 'mod i'n siŵr ei bod hi'n dechrau yn nhraeth y Foryd ac yn gorffen yn Tyddyn Du. Fedra i ddim dechra' disgrifio'r lliwia' ac mi oedd yr awyr o dani hi'n las, las, las. Honna oedd yr enfys ora' welodd Mr Jones erioed, medda' fo, a finna hefyd. Mi oedd hi'n well na'r un welodd Noa, dwi'n siŵr.

Chwefror 10fed: Mi ddaru hi wynt ofnadwy neithiwr ac echnos. Mi oeddan ni'n methu cysgu am hir wrth glywad ei sŵn o. Roedd o fath â sŵn 'sbrydion. Am ei bod hi wedi gneud cymaint o wynt, mi aeth Lisi a fi i hel pricia' tân peth cynta bora heddiw. Fyddwn ni wrth ein bodd yn mynd, ac mi oedd yn well byth heddiw achos mi geuson ni wared â Defi John oedd am gael reid ar gefn Sam i Gae Mawr.

Rydan ni'n gwbod yn iawn lle i gael hyd i'r pricia' gora', a pha rai i hel, achos mi fyddwn ni'n 'u plygu nhw gynta, ac os byddan nhw'n torri'n hawdd, wel mi fyddwn ni'n gwbod y gwnân nhw losgi'n hawdd hefyd. Dim ond rhai bach, bach ar gyfer dechra' tân, fyddwn ni'n hel. Tada ne' Ifan fydd yn nôl logs mawr a'u torri nhw, ond fyddwn ni'n deud wrthyn nhw hefyd os gwelwn ni foncyff go dda wedi syrthio, er mwyn iddyn nhw gael ei nôl o. Am bod 'na lot o friga' bach yn syrthio i'r gwrychoedd mi ddaru ni chwilio yn fan'no gynta, ac wrth fynd yn ôl adra ddaru ni hel y briga' oedd ar lawr. Roedd ganddon ni lond ein breichia' yn mynd yn ôl am adra, ac wrth gongol y Pandy, mi welson ni hen wraig o'r pentra a hitha'n hel pricia' hefyd. Am 'i bod hi'n hen, ddeudis i y basa hi'n cael hanner rhai fi, ac mi oedd Lisi ar ben 'i digon achos basa Mama'n gweld mai hi oedd wedi hel mwya o friga'. Ond doedd dim ofn gen i, fydda i'n cael da-da gan yr hen wraig reit amal wrth fynd i ddanfon wya'.

Chwefror 11eg: Mi fuon ni i gyd yn y capal bora heddiw, ac mi oedd 'na li mawr iawn yn yr afon wrth i ni fynd ar draws y bont yn y drol. Dŵr llwyd, medda' Tada, arwydd y bydd 'na bysgod go dda tua'r gwanwyn 'ma.

Dwi wedi blino ar y bonet newydd ges i at Diolchgarwch, ac mi faswn i'n licio cael ruban newydd arno fo, ond mi fydd raid i mi weitiad, medda' Mama, a bod yn ddiolchgar am be' s'gin i.

Mi oedd 'na bregethwr mawr yn y capal heddiw, a llond y lle i wrando arno fo. Roeddan ni wedi meddwl ella na fasan ni ddim yn gorfod dweud ein hadnoda', ond mi oedd rhaid i ni, ac mi ddaru Defi John anghofio ei un o, er 'i fod o wedi 'i deud hi'n iawn yn y tŷ cyn cychwyn allan. Ddeudais i f'un i'n iawn — a Lisi, ond 'i bod hi 'di baglu ar un gair hir.

Canmol y rhyfal oedd y pregethwr 'ma, deud dyla' pob dyn abal fynd i listio ar ei union. Mi ofynnodd Lisi i Mama wedyn os oedd Tada am 'neud list, ond mi ddeudodd hi 'i fod o'n rhy hen, a bod gynno fo ffarm i'w chynnal. Tyddyn ydi o go iawn.

25

Mae'r awyr yn glws heno, lein o goch ynddi hi, 'run fath â jam rhwng dwy frechdan. Mi fydd hi'n braf bora fory felly.

Chwefror 15fed: Mi ddaru dwy gwningen redeg ar hyd y ffordd o'n blaena' ni am hir iawn bora 'ma, a'u cynffonna' bach nhw'n bobio'n wyn. Pan ddaru ni ddechra' rhedeg ar 'u hola' nhw mi neuson nhw'n gweld ni, a neidio'n ôl trwy'r gwrych i'r cae.

Anghofiais i ddeud o'r blaen bod Meri Mew yn mynd i gael cathod bach ryw dro mis nesa. Mae hi'n cerdded o gwmpas fel tasa gynni hi bwdin 'Dolig yn 'i bol rŵan. Fyddan ni'n chwerthin pan fydd hi 'di gorfadd i lawr ar gadar Mama, ac yn methu codi wedyn, am 'i bod hi 'di mynd mor dew. Mae hi 'di cael lot fawr o gathod bach o'r blaen — fydd hi'n cael rhai bob blwyddyn ac mi fyddan i gyd yn mynd i rywla.

Chwefror 23ain: Tada wrthi'n helpu Robaits, Cae Hen, efo'r wyna, ac mae Ifan yn brysur yn Bronant 'run fath yn union. Does gynnon ni ddim defaid yn ein tŷ ni, ond mi fydd

26

Tada'n mynd i helpu Cae Hen a Cae Mawr bob blwyddyn. Mae Defi John am gael mynd efo fo i'w weld o'n tynnu oen 'leni, medda' fo, ac ew mae o'n edrach ymlaen.

Welis i nhw wrthi yn Cae Mawr llynadd, a does gen i ddim ishio gweld eto, wir.

Beth bynnag, fyddwn ni'n clywad defaid Cae Mawr yn brefu o fan hyn, pan fydd hi'n noson go ddistaw, a'r sŵn yn cario.

Mawrth

Mawrth 1af: Mae hi wedi bod yn union 'run fath â diwrnod o wanwyn heddiw drwy'r dydd, ac mi oedd yr haul hyd yn oed yn gynnas wrth wincio i lawr arnan ni pan oeddan ni'n mynd am yr ysgol.

Mi o'n i wedi codi'n gynnar, gynnar ac wedi bod yn helpu Tada i odro. Wrth i mi ddŵad yn ôl am y tŷ am 'y mrecwast, dyma fi'n gweld bod adar y to wrthi'n gwneud nyth o dan y bondo ym mhen draw'r beudy. Clywed 'u sŵn nhw wnes i gynta, a wedyn sbio i fyny a gweld 'u bod nhw'n brysur 'neud nyth bach del. Mi fyddan nhw yna bob blwyddyn, ac mi fydd Tada bob amser yn deud wrthan ni am beidio styrbio nhw, dim ond gwatsiad o bell i ni gael gweld y cywion bach pan ddôn nhw. Licio gweld yr adar mawr yn cario pryfaid genwair fydda i, a'r rheini'n wiglo fath â chynffonna' ŵyn bach.

Mi oedd Tada'n mynd i lawr i'r pentra efo'r drol i nôl Dic Tyrchwr bora 'ma, felly mi geuson ni reid i'r ysgol. Mi oeddan ni'n medru gweld dros ben y gwrychoedd wrth fynd, a gweld bod caea' Bronant yn llawn o ŵyn bach. Mi oedd 'na rai bach, bach, bach, fel tasan nhw ond newydd sefyll ar 'u traed, a'u mama' nhw'n 'u llyfu nhw. Roeddan nhw'n gweiddi "me, me" ddigon uchal beth bynnag. Mae 'na ddau oen bach du del iawn yn Bryn Bedda' 'leni, medda' Tada, ac mi rydan ni am gael mynd yno ddydd Sadwrn i'w gweld nhw. Well gen i ŵyn du na ŵyn gwyn nes byddan nhw wedi tyfu.

Geuson ni hanas Dewi Sant yn 'rysgol heddiw, fyddan ni'n cael yr un stori bob blwyddyn. Mi oedd Meri Wini, Tŷ'n Pant, 'di dŵad â daffodils efo hi i'r ysgol am 'i bod hi'n ddydd Gŵyl Dewi, ac mi ddeudodd Mrs Davies mor hardd oeddan nhw a gofyn sut na fasa mwy ohonon ni wedi cofio. Ddudis i wrthi hi ein bod ni wedi cofio, ond na fedron ni ddim hel rhai am ein bod ni'n cael reid yn y drol i'r ysgol, a basan ni'n siŵr o fod wedi hel rhai ar y ffordd, fel arall. Roedd hi'n dallt wedyn. I 'neud i fyny, ddaru ni hel rhai ar y ffordd adra, ac mi rydan ni wedi bod yn 'u gwisgo nhw trwy'r gyda'r nos. Ogla neis sy arnyn nhw hefyd.

Mawrth 3ydd: Wedi bod yn Bryn Bedda' yn gweld y ddau oen bach du. Ŵyn llywaeth ydyn nhw ac mae gan Mrs Owan botal bob un i'w bwydo nhw. Mi gawson ni roi diod iddyn nhw heddiw, ac ew, tynnu maen nhw hefyd. Dipyn o job efo nhw ond maen nhw'n ddel ofnadwy ac wrth 'u bodd yn cael mwytha'.

Pnawn 'ma fuo Tada wrthi'n llnau cwt mochyn ac mi fuo Defi John yn ei helpu o. Dim ots gan hwnnw am ogla'. Dwi'n ffond ofnadwy o Bessie 'rhen hwch, ac mi fydda i'n cael sgwrs efo hi reit amal. Lle bynnag bydda i'n mynd, mi fydd hi'n dod â'i phen i'r gwrych a sbio ar fy ôl i. Fydda i'n gweld rhywbeth yn debyg i Mrs Pritchard, Cedrwydd, yn Bessie, ond dydi hi ddim achos hen ddynas annifyr ydi honno, ac mi fyddwn ni'n cael row gynni hi am chwerthin yn 'rysgol Sul.

Mi wnes i orffen fy samplar heno, diolch

byth, ac mae Tada am ei fframio fo i mi. Ddangosodd o'r gwaith coed mae o wedi bod yn ei 'neud i ni heno. Enw newydd i'w roi ar y giât yn ben lôn ydi o, ac mae o wedi torri enw Nant-y-Wrach mewn llythrenna' mawr bras fel medar pawb ei weld o, ac mae o am ei roi o i fyny ben bora Llun, medda' fo. Maen nhw'n deud bod 'na wrach go iawn wedi bod yn byw yn ein tŷ ni ryw dro, ac mi oedd pawb ei hofn hi. Pan fyddwn ni'n cau bihafio, mi fydd Mama'n bygwth galw arni hi, gan ddeud i bod hi o gwmpas o hyd. Does neb ohonan ni 'rioed wedi'i gweld hi chwaith.

Mawrth 7fed: Yn syth ar ôl 'rysgol heddiw mi fues i yn Bronant yn mynd â negas i Mrs Edwards odd' wrth Mama. Ges i fynd i weld y ceffyla' a'r gwarthaig mae Ifan ni'n edrach ar 'u hola' nhw. Maen nhw'n fawr ddychrynllyd, mi o'n i'n sbio i fyny arnyn nhw fel taswn i'n sbio i'r awyr. Mae gynnyn nhw ddwy wedd o geffyla' yn Bronant ac mae Ifan yn deud nad oes mo'u gwell nhw yn y sir 'ma i gyd.

31

Wedi i ni fynd i'r stabla', a chau'r drws ar ein holau, dyma Ifan yn deud 'i fod o am ddeud *secret* wrtha i, "Weli di hon," medda' fo, a thynnu darn o arian gloyw neis o'i bocad, a hwnnw'n sgleinio fel lleuad, achos mi oedd hi'n dywyll yn y stabal. "Ges i hi am joinio'r Armi," medda' fo, "dwi am ddenig o 'ma heno, mae Tomos Huw am ddod efo fi, a phan weli di fi tro nesa mi fydda i'n smart yn fy iwnifform." Roth o lythyr i mi 'i roid i Tada i ddeud 'i fod o'n mynd, a 'neutha fo ddim gwrando arna i'n deud basa well iddo fo beidio. Yn dre ddydd Sadwrn pan aeth o i'r ffair gwelodd o ddynion yr Armi, medda' fo, ac mi oedd 'na lot fawr o hogia'n joinio a chael pres am 'neud. Ddaru o ddeud clwydda am 'i oed er mwyn iddo fonta gael joinio. Mae 'na dipyn go lew o hogia'r pentra wedi mynd rŵan.

Mawrth 17eg: Mi oedd Tada'n gas iawn efo Ifan am redeg i ffwrdd i'r rhyfal, deud nad oedd ganddo fo ddim hawl yn ei oed o heb gael caniatâd ei dad, ond mi oedd Mama'n deud bod 'geinia' er'ill rownd y wlad wedi gneud yr un peth, ac mai 'u hamsar nhw ydi o.

Wedi clywed y bydd Ifan yn cael iwnifform grand a gwn iddo fo'i hun, mae Defi John yn sâl ishio cael mynd rŵan hefyd, ac mae o wedi bod yn cymryd arno martsio i'r ysgol yr wsnos ddwytha 'ma, er mwyn dangos i bawb 'i fod o'n 'neud 'i hun yn barod. Mi ddaru faglu dros ei draed ei hun ddoe a syrthio i glwmp o ddail poethion wrth ymyl y tro, ac mae o wedi anghofio am y martsio ar ôl hynny.

Mawrth 20ed: Tra oeddan ni yn 'rysgol heddiw, mi gafodd Meri Mew gathod bach. Pedair gafodd hi i gyd ond bod dwy wedi marw, ac mi geuson nhw'u claddu yn nghongol yr ardd bach tu ôl i'r tŷ. Mae 'na floda' clws yn yr ardd rŵan, ac mi ddeudodd Mama y caen ni dorri dau ddaffodil a'u rhoi nhw mewn pot jam ar fedd y pwsis bach. Mi wnaeth Defi John groes efo dau frigyn a llinyn. Mae'r ddwy gath bach sy'n fyw yn glyd efo Meri Mew yn y cwt gwair, ac mi ddaru ni fynd yno ar ôl te i'w gweld nhw am

33

funud bach. Du a gwyn ydi un, a'r llall yn frech 'run fath â Meri Mew.

Gafon ni ffrae ynghylch be' i'w galw nhw, a setlo yn diwadd ar Twmi a Sali.

Edrach ymlaen iddyn nhw agor 'u llygaid rŵan.

Mawrth 24ain: Rydan ni i gyd yn dal wrth ein bodd ei bod hi mor braf mor gynnar yn y flwyddyn, ond mi oedd Mama'n deud ein bod ni'n siŵr o stormydd cyn bydd y mis allan, ac yn sôn rhywbeth am ddŵad i mewn fel oen ac allan fel llew. Dwi ddim yn meddwl bod 'na lewod yn y wlad yma.

Ddaru hi dipyn o law mân echdoe, ond mi oedd hi'n brafiach byth ar ôl hwnnw, pob peth fel tasa fo wedi sbringio i fyny o'r newydd, a does 'na ddim mymryn o wynt wedi bod trwy heddiw.

Pnawn 'ma mi aethon ni i chwara' i lawr ar hyd dreif Plas Bryn. Tasa rhywun wedi'n gweld ni, fasan ni wedi cael row iawn, ond dim ond cyn bellad â'r bont aethon ni, a throi i lawr y llwybr bach sy'n mynd i'r Pandy, wedyn sleidio i lawr ochr y llethr at

34

ymyl yr afon. Mae'r dŵr mawr oedd yn yr afon wedi mynd i lawr gryn dipyn rŵan, ac mi oeddan ni'n medru cerddad ar hyd y cerrig sych i'w chanol hi, ond mi oedd hoel y lli mawr i'w weld ar y creigia', a'r chwyn fydda'n tyfu mor syth wedi cael 'u fflatio i lawr gan y dŵr. Mi oedd o 'run fath â mwng ceffyl.

Ddaru Defi John fynd â phot jam efo fo i nôl dipyn o ddŵr i fedyddio'r cathod bach, ond mi 'i collodd o fo i gyd wrth sgrialu i fyny'n ôl am lôn Pandy, felly doedd gynnon ni ddim yn mynd adra. Ddaethon ni o hyd i foncyff mawr crin ar ddreif y plas, ac eiddew drosto fo i gyd. Ddaru ni godi hwnnw ar ein sgwydda', fi yn pen blaen, Lisi wedyn a Defi John yn tu ôl am 'i fod o'n llai na ni, ac mi 'i carion ni o'r holl ffordd adra. Mi oedd o bron mor fawr â'r rhai fydd Tada'n ddŵad adra ac mi fu raid iddo fo gymryd bwyall ato fo heno.

Ddoth Tada o hyd i gynffonna' ŵyn bach heddiw a dŵad â nhw adra i ddangos bod y gwanwyn wedi cyrraedd. Gneud llun ohonyn nhw fuon ni'n tri heno wedyn.

Mawrth 31ain: Twmi a Sali newydd agor 'u llygaid am y tro cynta. Dydyn nhw ddim yn gweld yn iawn eto, ond mae'u llygaid bach nhw fel perlau yn y cwt gwair. Maen nhw'n gwichian llawer iawn, ac wrth 'u bodd yn sugno Meri Mew.

Mi fûm i'n danfon wya' i lawr i'r pentra fel arfer, peth cynta bora 'ma, a mynd i dŷ Miss Lewis, Fronddu, a phobol Lôn Groes, a phan o'n i ar fy ffordd adra ac wrthi'n bwyta teisan gri ges i gan Miss Lewis dyma fi'n gweld Dic Tyrchwr yn cerddad o 'mlaen i a sach fel cêp dros 'i gefn. Dyma fi'n brysio er mwyn dal i fyny efo fo, achos mae Dic Tyrchwr yn gwbod pob dim am adar a bloda' ac anifeilia'd gwyllt, ac mi fydd o wrth ei fodd cael deud 'u hanas nhw hefyd. Mi ddaru o bwyntio allan gwahanol ddail i mi wrth i ni gerddad, a deud pa rai oeddan nhw, a dangos hoel gwahanol anifeilia'd wrth ochr y lôn ac yn y gwrychoedd. Ddaru o stopio a dangos nyth gw'alchan i mi a phedwar ŵy bach glas del ynddo fo. Mi oedd o reit yng nghanol y gwrych, dwn i ar y ddaear sut y gwydda' fo 'i fod o yno, ond mi oedd o'n gwbod. Mi ddeudodd o wrtha i am beidio dangos y nyth bach yna i neb, rhag ofn iddyn nhw sdyrbio'r wya'. Ddudis i na wnawn i ddim, *secret* Dic Tyrchwr a fi ydi'r nyth yna.

Ebrill

Ebrill 8fed: Dydd Sul y Pasg ydi hi heddiw, a hen ddiwrnod annifyr hefyd. Mae hi wedi bwrw cawodydd trwm bob dydd ers tua wythnos rŵan, a'r tir yn socian ers cantoedd. Biti bod y glaw wedi sboilio'r bloda' a'u curo nhw i lawr achos mi fydd Mama'n mynd â bloda' o rar' ni ar fedd Taid yn Llanwnda bob blwyddyn, dydd Sadwrn cyn Pasg. Ddaru hi fynd â rhai 'leni hefyd, *irises* a daffodils, a'r rhai bach 'na sy'n wyn i gyd a chanol melyn, ond mi fydd y glaw wedi'u curo nhw erbyn heddiw a'u plygu nhw'n flêr.

Ddydd Iau a dydd Gwener y Groglith mi fuon ni yn Steddfod y Bont, ac mi o'n i wedi dysgu'r adroddiad dan ddeuddeg, doedd neb arall o'n tŷ ni'n trio. Chefais i ddim byd chwaith am bod 'na gymaint yn cystadlu a bod mam Katie May ddaru ennill yn gneud te i'r beirniad, yn ôl Anti Leusa.

Mi gês i aros i gwarfodydd y nos efo Mama, am y tro cynta, ac ew mi oedd 'na hwyl yna, ond bod 'na rai wedi meddwi'n dod i mewn a gneud sŵn weithia'. Hefo car a cheffyl Cae Hen daethon ni adra, ganol nos, ac mi oedd Defi John a Lisi wedi gorfod mynd i'w gwlâu cyn i ni gyrradd, er mwyn i Tada gael llonydd i ddarllan.

Ebrill 9fed: Dydd Llun y Pasg. Diwrnod ddaru Iesu Grist godi o farw'n fyw ydi hi heddiw, ac mi ddyla hi fod yn braf neis, a'r bloda' i gyd yn dawnsio.

Ond dydi hi ddim. Mae hi'n oer fel gaea, a glaw yn chwipio. Yn y tŷ buon ni drwy'r dydd.

Mi gawson ni lwmpyn o gig moch i ginio heddiw am ei bod hi'n Basg. Am ein bod ni o gwmpas y tŷ, mi oedd raid i ni helpu efo'r cinio, fi'n gneud y stwnsh rwdan, a Lisi'n gwatsiad y pwdin clwt rhag iddo fo ferwi drosodd.

Mae 'na dipyn o wynt yn y simdda 'ma heno ac mi dwi wedi bod yn meddwl am Ifan trwy'r gyda'r nos. Tybad lle mae o rŵan? Ydi hi'n oer lle mae o? Rhyfedd na fasa fo wedi gyrru llythyr i ni.

Mi fydda i'n meddwl lot fawr am Ifan deud y gwir, ond 'mod i ddim yn ei sgwennu fo i lawr bob tro.

Ebrill 10fed: Mae 'na gywion bach yn y nyth dan fondo'r beudy. Fedrwn ni ddim mynd digon agos i'w cyfri nhw, ond mi rydan ni'n clywed 'u sŵn nhw a gweld y piga' bach 'gorad yn bobio i fyny fel petha' gwirion pan fydd y tad yn cyrraedd efo bwyd. Mi fuodd hi'n braf heddiw ond doedd hi ddim yn rhyw gynnas iawn. Ddaru'r haul drio dod allan am dipyn pnawn 'ma, ond yn ei ôl yr aeth o mewn dim.

Rydan ni'n cael gwylia' o'r ysgol wsnos yma, ond ddaru Lisi a fi ddim mynd allan rhyw lawer heddiw, dim ond o gwmpas y tŷ. Fuon ni'n helpu Mama bobi.

Mi aeth Defi John am reid ar gefn Sam i'r Ffridd, i chwara' efo Elwyn Bach, a phan ddaeth o adra mi oedd ganddo fo glamp o bry cop mawr roedd o wedi'i ddal tua'r Ffridd 'na, a thad Elwyn wedi rhoi bocs matsys gwag iddo fo gael 'i gario fo adra i ddangos. Ddaru Mama gymryd arni ei bod hi 'i ofn o, a sgrechian dros y lle. Dwi ddim yn meddwl ei bod hi 'i ofn o go iawn chwaith, ond ei bod hi'n tynnu coes Defi John.

Mi ddaru o'i ollwng o'n rhydd yn y diwedd.

Ebrill 14eg: Bora 'ma mi fûm i'n danfon wya', ac mi aeth Lisi a fi i hel briallu yn y pnawn. Mae 'na ddigon ohonyn nhw ar hyd lôn Bicall, a ddaru ni benderfynu y basan ni'n cymryd un ochr i'r lôn bob un, rhag i ni ffraeo. Mi helion ni lond ein dwylo mewn dim amsar, a rhoi dipyn o ddail efo nhw i 'neud *bouquet*. I Mama roeddan ni wedi meddwl rhoid y rhan fwya ohonyn nhw, a chadw rhyw dusw bach i'w rhoi mewn ffiol ar y bwrdd wrth ochr ein gwely ni, am bod na ogla' mor hyfryd arnyn nhw, ond am bod Mrs Hughes, Tyddyn Parthle, yma'n cael panad pan gyrhaeddon ni, mi wnaeth Mama i ni'u rhoi nhw iddi hi fynd adra' efo hi. Dim ots, mi fedrwn ni fynd i hel digon eto.

Hel brwyn ydi bob dim gen Defi John rŵan. Maen nhw wedi tyfu'n gry ac yn wyrdd ar ôl yr holl law fuo'n ddiweddar. Un o weision y Ffridd sydd wedi bod yn dangos i Defi John ac Elwyn sut i 'neud petha' allan o frwyn, eu plethu nhw i 'neud cychod bach i fynd ar yr afon, a ratl babi a phetha' felly. Mae gwas y Ffridd yn giamblar arni yn ôl Defi John, ac mi fydd onta hefyd, medda' fo, ar ôl practeisio dipyn. Ar gymaint o frwyn ag mae o'n gario i'r tŷ 'ma, mi fydd o hefyd.

O ia! Dyliodd Lisa a fi ei bod ni wedi clywed y gog heddiw wrth hel briallu, ond dydan ni ddim yn siŵr iawn. Os y gog oedd hi, mi oedd hi'n bell, bell i ffwrdd.

Ebrill 21ain: Mi fûm i yn nhŷ Agnes, Cefn Libanus, yn cael te pnawn 'ma, am ei bod hi'n cael ei phen-blwydd. Mi oedd 'na bump ohonan ni i gyd o'n class ni wedi cael gwadd, ac mi oedd mam Agnes wedi gneud teisan a bara brith. Hances boced rois i'n bresant iddi hi, un a lês rownd ei hochrau hi i gyd mi faswn i wedi licio'i chael hi fy hun.

Ar ôl te, ddaru ni fynd i chwara' cuddio i'r ardd, ond am nad oedd 'na fawr o le i guddiad yno, neidion ni dros y wal i ardd Mrs Williams drws nesa. Wrth ein clywad ni'n gneud sŵn, a meddwl ein bod ni am godi'i bloda' hi, mi ruthrodd allan i'n hel ni adra, ond mi oedd Bela, ast bach Agnes, wedi bod yno hefyd, ac wedi gneud ar y llwybr wrth ymyl y drws. Am 'i bod hi'n wyllt efo ni, welodd Mrs Williams mo hwnnw, ac mi slipiodd arno fo, a syrthio'n glewtan fath â chrempog. Chwerthin ddaru ni i gyd a rhedeg yn ôl i dŷ Agnes cyn iddi godi.

Gobeithio na welodd hi mo'na i, achos mi fydd yn dod yma i nôl llond pisar o laeth weithia'.

Mai

Mai 5ed: Rydan ni wedi bod yn brysur ofnadwy heddiw 'ma, achos mi roedd hi'n blannu tatws arnon ni. Fel arfer, mi fyddwn ni wedi bod wrthi'n gynt na hyn, ac mi fu Tada'n poeni ei bod hi wedi mynd yn ben set o achos y tywydd drwg 'dan ni wedi'i gael. Fyddwn ni byth na fyddwn ni wedi gorffen erbyn Ffair Bont.

Mae 'nghefn i'n brifo heno 'ma ar ôl bod yn plygu yn y rhycha', ac ma' Lisi a Defi John 'run fath. Mi fydd Mama a Mrs Owan, Bryn Bedda', a'r rheina'n gneud caea' a chaea' bob blwyddyn, a fydda i byth yn clywad bod Mama'n cwyno efo'i chefn. Siŵr y bydda inna' wedi dŵad i arfer erbyn bydda i cyn hyned â hi.

Geuson ni ddima bob un gan Tada heno 'ma am helpu efo'r plannu; fyddwn ni'n cael un bob blwyddyn i gael ei gwario hi yn Ffair Bont.

Mi oedd hi'n dywydd braf iawn i fod yn y caea' heddiw, ac mae Lisi'n taeru ei bod hi wedi cael lliw haul. Wela i mono fo, a fedra i ddim gweld sut medar hi fod wedi cael lliw, achos at i lawr oedd ei gwynab hi rhan fwya, os nad oedd hi'n slacio a ddim yn tynnu'i phwysa'.

Dim ond dau ddiwrnod eto nes bydd hi'n Ffair Bont.

Mai 8fed: FFAIR BONT. Dwi bron wedi blino gormod heno i sgwennu, ond fedra i ddim meddwl am gysgu chwaith, achos dwi wedi cael cymaint o hwyl nes y baswn i'n licio i heddiw 'ma bara am byth. Doedd 'na ddim ysgol i ni am ei bod hi'n ddiwrnod ffair, ac mi aeth Tada i lawr i'r pentra peth cynta bora 'ma i'r sêl efo Robaits, Cae Hen. Mi oedd dyn Cae Hen yn gwerthu defaid yno, ac yn 'u gyrru nhw i lawr. Welson ni nhw'n mynd heibio achos mi roeddan ni wedi codi'n gynnar, gynnar, ond chawson ni ddim mynd i'r ffair tan y pnawn. Lle i ddynion ydi'r sêl, medda' Mama, llond lle o anifeilia'd yn gneud sŵn, a chriwia' mawr o ffarmwrs yn cynnig amdanyn nhw. Maen nhw'n gweiddi 'run fath â gwydda', medda' hi.

Gawson ni ginio cynnar, a cherdded i lawr i Bont efo Mama, ond mi gawson fynd rownd ein hunain wedyn, ond 'mod i wedi gaddo peidio â gadael Defi John o 'ngolwg, rhag ofn iddo fo fynd ar goll yn nghanol y crowdia'. Mi oedd hi mor braf fel bod llawer o'r dynion yn llewys 'u crysa', a'r merchaid yn tyrru i brynu defnyddia' i 'neud ffrogia' ha. Dyna pam ma' pawb mor falch o weld diwrnod Ffair Bont mae'n siŵr, am nad ydi'r ha 'mond rownd y gongol ar 'i hôl hi. Mi oedd 'na fwy o bobol a stondina' na llynadd, ac mi oedd 'na gymaint ar y bont fel nad oedd dim posib ei gweld hi.

Rydan ni'n nabod lot fawr o bobol y stondina' am 'u bod nhw yma bob blwyddyn, ac mi oedd yr hen ŵr gwerthu llestri o'r dre yma eto 'leni, a chrowd ofnadwy o gwmpas ei stondin o. Wthis i i'r pen blaen a phrynu esgid tsieni bach, bach, bach gynno fo am geiniog. O'n i wedi cael honno ar fy rownd wya' ers dipyn go lew ond 'mod i wedi'i chadw hi tan heddiw.

Ddaru ni'n tri gael trei ar y *pull away*, ond dim ond coesyn bach gawson ni bob un, ac mi ddaru ni watsiad rhai er'ill yn trio wedyn, a welson ni neb yn cerdded o 'na efo un mawr. Ma' Ifan yn deud ers talwm bod 'na gêm ynddi hi.

Roedd 'na lai o griw nag arfer o hogia' a genod yn disgwl cyflogi 'leni, a do'n i ddim yn nabod cymaint ohonyn nhw â byddwn i, achos dwi'n siŵr mai rhai o Ben Llŷn ffordd 'na oedd lot ohonyn nhw. Mi welson ni Laura, Glanrafon; mae hi wedi cael lle yn Plas Bont, medda' hi. Blwydd a hanner yn hŷn na fi ydi Laura. Falla bydda inna'n trio am le amsar yma flwyddyn nesa. Gobeithio bydda i, ac ni fydd raid i mi fynd i ddysgu bod yn wniadreg. Ddeudodd Laura gymaint o straeon gweini wrtha i, nes 'mod i wedi rhoi 'nghalon ar fynd.

Ar ôl bod yn siarad efo Laura ddaru ni daro ar Mama yn y crowd, ac mi oedd hi'n chwilio amdanon ni i fynd adra cyn iddi dwllu. Hanner awr wedi saith oedd hi arnan ni'n cyrraedd, a phrin ddechra' twllu oedd hi. Brynodd Mama gosyn yn y ffair, ac mi gawson ni ddarn mawr o hwnnw a bara menyn i swpar.

Welson ni mo Tada o gwbl ers bora, a ddaeth o byth yn ei ôl. Dwi wedi clywad sôn mawr am yr hwyl sydd 'na yn y pentra noson ffair, ac mae'n siŵr bod 'na bob math o sbri yn mynd yn ei flaen rŵan tra dwi'n sgwennu hwn. Ddaru ni fynd allan i ben lôn ar ôl swpar a dringo i dop y giât i gael gweld i lawr i'r pentra, a rargian mi oedd 'na oleuada' i'w gweld yno. Bron nad oeddan ni'n medru clywad y lleisia'n cario aton ni.

Mi fasa'n braf cael bod yna yn 'u canol nhw heno.

Mai 11eg: Llythyr wedi dŵad odd' wrth Ifan heddiw, yn deud 'i fod o'n iawn, ac yn cychwyn am Ffrainc mewn 'chydig o ddyddia'. Ddaru Mama ddarllen y llythyr i ni ar ôl i ni ddŵad o'r ysgol, ac mi oedd Ifan yn deud 'i fod o wedi dŵad ar draws 'geinia' o hogia' Cymraeg yn yr un lle â fo, ac ma' Tomos Huw a fynta yn yr un *batallion*, medda' fo. Mi oedd o'n deud ar y diwadd y basan ni'n medru gyrru llythyra' iddo fo, a basa fo'n siŵr o'u cael nhw. Dwi am sgwennu hanas Ffair Bont a phob un dim sy wedi digwydd er pan a'th o i ffwrdd; fydd o'n licio cael clywad amdanyn nhw. Ar ôl iddi hi orffan ei ddarllen o i ni, mi ddaru Mama roid y llythyr i'w gadw'n saff yn y Beibl Mawr. Ma' hi yn un am gadw petha' fel 'na.

Mai 19eg: O! dwi'n falch ei bod hi wedi bod yn ddiwrnod cynnas braf heddiw a finna'n cael 'y mhen-blwydd. Fedra i ddim coelio 'mod i'n ddeuddag oed rŵan. Mi fydda i'n 'madal â'r ysgol 'mhen blwydd.

Mi ges i flows newydd yn bresant, Mama wedi'i 'neud o a finna ddim yn gwbod. Un del ofnadwy ydi o, gwyn neis efo colar lês, ac bloda' bach wedi cael 'u brodio ar y ffrynt.

Fuodd Jên, Cae Hen, ac Agnes, Cefn Libanus, yma'n cael te efo ni, a mi dwi wedi cael papur sgwennu gin Jên a broets bach siâp deryn gin Agnes. Dwi wrth 'y modd achos mi 'neith y froets yn *champion* ar 'y mlows newydd i, a'r papur i mi sgwennu at Ifan. Ar ôl te mi fuon ni'n chwara' allan yn cae, ac mi oedd hi mor boeth nes gnaethon ni dynnu'n sana' a'n clocsia', a drochi'n traed yn 'rafon bach. Mi oedd hi'n braf teimlo'r dŵr yn llithro dros ein bodia' ni, a fuon ni'n cicio fath â petha' gwirion wedyn, a'r dŵr yn sboncio i bob man.

Dyna glws ydi'r caea' rŵan a bloda' llygad dydd a bloda' menyn 'u llond nhw.

Mi oeddan ni wedi hel tusw bach bob un, ac ar ôl i ni flino ar sblashio yn y dŵr, mi 'steddon ni ar lan yr afon a gneud torcha' ohonyn nhw i'w rhoi am ein gyddfa' tra oeddan ni'n disgwl i'n traed ni sychu. Fuon ni'n dawnsio'n droednoeth o gwmpas y cae wedyn, a'r bloda' amdanom, yn cymryd arnan mai tylwyth teg oeddan ni.

Hannar chwara' hefo ni a hannar ddim oedd Defi John heddiw, achos mi oedd o wedi dod o hyd i'r enwair 'naeth Tada iddo fo llynadd, ac mi fuodd yn pysgota yn 'rafon bach, ym mhen arall y cae odd' wrthan ni. Doedd o ddim ishio chwara' efo genod, medda' fo.

Mai 24ain: Dim ond Lisi a fi aeth i'r ysgol heddiw 'ma, gafodd Defi John beidio dŵad achos mi oedd tad Elwyn, Ffridd, wedi deud y câi o fynd yno i helpu teneuo rwdins.

Esgus i gael aros gartra o'r ysgol oedd o, dwi'n meddwl, achos dwi ddim yn credu bod gin Defi John nac Elwyn syniad sut i 'neud, a dwi'n siŵr mai chwara' buon nhw fwya. Ddeudodd Tada wrth Defi John pan ddoth o adra nad oedd dim golwg dyn 'di bod yn gweithio'n galed arno fo,

ond mi oedd o'n meddwl ei fod o'n dipyn o foi
'di cael aros gartra o'r ysgol tra oeddan ni'n dwy
wedi gorfod mynd. Fel'na ma' hogia', meddwl
'u hunan am ddim byd.

Mai 25ain: Newydd orffan sgwennu llythyr i
Ifan ar y papur ges i gin Jên, Cae Hen,
ddoe. Mae Mama am ei roi o efo'i llythyr hi
a Tada, a mynd â fo i'r post bora fory.
    Gobeithio sgwennith o'n fuan eto.

Mai 30ain: Robaits, Cae Hen, newydd fod yma
ers rhyw awr, yn dod â lwmp o gig mochyn i
ni. Maen nhw wedi bod yn lladd yno wsnos
yma, ac mi oedd o'n deud y cawn ni bryd o
ffagots hefyd ar ôl i Mrs Robaits eu gneud nhw.
Rydan ni wrth ein bodd efo ffagots, ond fydd
Mama byth yn gneud rhai pan fyddwn ni'n lladd.

Mehefin

Mehefin 4ydd: Mae'n well gen i'r amsar yma o'r flwyddyn na'r un arall. Dydan ni ddim yn gorfod brysio adra o'r ysgol dyddia' yma, achos mae hi mor braf cael dŵad wrth ein pwysa', a stopio yma ac acw i hel dipyn bach o floda' o'r gwrychoedd ar y ffordd. Pnawn 'ma, mi oedd 'na löyn byw yn mynnu dawnsio o'n cwmpas ni, ac mi oeddan ninnau'n trio'i ddal o, er mwyn cael gweld y lliwia'n iawn. Mi redon ni ar ei ôl o at giât Bronant, ond mi aeth o o afael Defi John wedyn, ac i ddeud helô wrth rai o'r gwarthaig yn y cae.

O! mi oedd hi'n braf wrth giât Bronant ar y topia' 'na ac mi ddaru ni ddringo i'w phen hi, er mwyn i ni gael gweld i lawr at lân y môr. Mae o mor las â'r awyr rŵan, a thonna' 'run fath â darna' o eda' wen wedi'u tynnu ar ei hyd o.

Mi oedd 'na 'chydig bach o awal gynnas heddiw 'ma, ac mi 'i gwelan ni o'n llithro trwy gaea' gwair Bronant. Mae 'na olwg am gnaea da ym mhob man 'leni, a fydd hi ddim yn hir rŵan na fydd 'na ddechra' arni.

Mae Defi John yn helpu golchi defaid yn y Ffridd ar ôl 'rysgol wsnos yma, yn barod at y cneifio. Daeth o ddim adra nes ei bod hi wedi naw neithiwr.

Mehefin 7fed: Tra oeddan ni ar ein hamser chwara' pnawn 'ma yn 'rysgol, mi welson ni'r frêc yn cyrraedd o'r dre, ac mi ddaru twr ohonan ni ruthro at y gatiau, achos roedd 'na griw o hogia' mewn iwnifform yn dod odd' arni hi. 'Ddylis i'n siŵr bod Ifan yn un ohonyn nhw, ac estynnes fy hancas bocad allan er mwyn tynnu'i sylw fo wrth i mi weiddi, ond y munud hwnnw, mi ddaru droi rownd, ac un o hogia' Llwyn Derw oedd o, nid Ifan ni, ond ew, mi oedd o'n debyg o bell. Ddeudodd Mr Jones y Sgŵl wrthan ni ar ôl i'r gloch ganu mai wedi dod adra ar *leave* oeddan nhw, a pheth mor dda oedd 'u gweld nhw yn fyw ac iach.

Ar ôl te heddiw, mi fues i'n cael hwyl fawr yn edrach ar Meri Mew a'r cathod bach yn chwara' ar y wal sy rhwng y tŷ 'ma a'r cae. Dydi Twmi a Sali ddim ond pytia' bach i gyd, ond mae'u cynffonna' nhw'n mynd fel melin wynt, a'u llygaid nhw fel soseri, wrth weld yr adar sy'n codi o'r gwrych.

Ymhen dipyn bach, mi ddaeth Twmi i 'nghwarfod i efo gw'alchan bach yn hongian o'i geg, ond dwi ddim yn meddwl mai fo daliodd hi. Meri Mew fydd yn 'u dal nhw, a'u rhoi nhw i'r rhai bach i chwara' wedyn.

Mehefin 8fed: Maen nhw wedi dechra' cneifio yn Bryn Bedda' heddiw 'ma, a Defi John a Tada wedi bod yno ers peth cynta bora 'ma. Mi aeth Lisi a fi i fyny tua un ar ddeg efo Mama, achos mi oedd hi'n helpu efo'r bwyd.

Rargian, mi oedd 'na fynd a dŵad yno, a llond y lle o weision o bob man, nes ei bod hi 'run fath â diwrnod ffair, fel bydd hi bob amsar. Mi fydda i wrth 'y modd gweld y defaid yn strancio, a'r dynion am y cynta i'w cneifio nhw. Dipyn o job ydi hi efo'r gwalla' 'na hefyd, ac mae'r defaid yn gwingo cymaint weithia', nes y basa rhywun yn taeru yr aen nhw i'w bolia' nhw, ond fyddan nhw byth yn mynd.

Mynd am y cinio oedd Lisi a fi fwya, siŵr iawn, ond ein bod ni'n ennill ein tamaid drwy helpu cario'r crwyn odd' ar ffordd y cneifiwrs. Ham cartra oedd y cinio heddiw 'ma, a llond lle o lysia' a phob math o betha' efo fo. Mi ddaru Lisi a finna fyta nes ein bod ni bron iawn â byrstio, ac mi oedd Mama'n deud bod golwg arnan ni fel tasan ninna'n medru gneud efo'n cneifio.

Erbyn ein bod ni'n ailddechra' ar ôl cinio, mi oedd 'na ddyn diarth wedi cyrraedd o'r dre — dyn tynnu lluniau — ac mi oedd raid i ni sefyll mewn grŵp tra oedd o'n trio gosod ei focs bach i fyny ar goesa'. Mi oedd Tada a'r cneifiwrs er'ill yn y tu blaen, yn gafael mewn dafad bob un — cymryd arnyn eu bod nhw wrthi'n cneifio'r munud hwnnw — a phawb arall oedd yn helpu yn sefyll o'u cwmpas nhw. Mi gafodd Lisi a fi a Jên, Cae Hen, a'r rheina eista ar lawr o flaen y dynion, a dal y crwyn i fyny rhyngthan, i ddangos y gwaith o'dd wedi'i 'neud yn barod. Sefyll ar ben wal ga'th Defi John ac Elwyn bach y Ffridd — geuson ni le gwell na nhw.

Mae Tada'n mynd i Cae Hen a'r Ffridd wsnos nesa, ac mi fydd yn mynd i fyny weithia' i helpu yn yr Erw, a Tyddyn

— mi ddaru llynadd, beth bynnag. Dwi'n siŵr 'i fod o'n gweld defaid yn ei gwsg dyddia' yma. Biti ein bod ni'n gorfod mynd i'r ysgol, neu mi fasan ni'n medru mynd, ond mi gawn fynd i'r Ffridd a Cae Hen, mwy na thebyg, ar ôl dod adra. Dim ots am gael te, achos fyddan ni ddim yn meddwl am fwyd pan fydd hi'n braf ac yn boeth fel mae hi'r wsnos yma.

Gobeithio y dalith hi nes cawn ni'r gwair i mewn.

Mehefin 11eg: Chawson ni ddim gwersi yn 'rysgol bnawn heddiw na pnawn ddoe. Mi oedd 'na dipyn o hogia' ffermydd adra o achos y cneifio, ond y peth mwya oedd bod y pentra yn gneud croeso i'r soldiwrs sydd wedi dod adra ar *leave* o'r Armi, gneud te parti iddyn nhw, ac mi ddeudodd Mr Jones y Sgŵl y basa fo'n neis tasan ni, blant yr ysgol, yn rhoid consart bach wedyn.

Fuon ni'n practeisio rhai o'r emyna' fyddwn ni'n ganu yn *assembly*, a pharti ohonan ni'n canu rhyw benillion doniol mae Mr Jones wedi'u sgwennu i'r hogia'. Gawson ni 'neud yr *action song* ddaru ni ddysgu yn Band-of-Hope hefyd, yr un lle o'n i'n actio cwningan.

Yn festri Siloam, bedwar o'r gloch pnawn 'ma roedd y parti, ac mi oedd y pentra i gyd yno bron iawn. Mi oedd 'na lieinia' gwyn ar y byrdda' a phob dim, ac mi oedd yr hogia' wrth 'u bodd. Ne' mi oeddan nhw'n edrach felly. O'n i ishio mynd i siarad efo nhw, ond mi oedd 'na gymaint o bobol o'u cwmpas nhw, fel nad o'n i ddim yn licio mynd.

Roedd Mama wedi siarad efo hogyn Llwyn Derw. Doedd o ddim wedi gweld Ifan, ond 'i fod o wedi bod yn siarad efo rhywun ar y llong, ac mi oedd hwnnw wedi'i weld o.

Yn y Ffridd buo Tada'n cneifio heddiw. Cinio ardderchog yno, medda' fo, gwell na nunlla arall 'leni. Mae Mrs y Ffridd yn un am ddangos ei hun efo cwcio.

Mehefin 15fed: Ddaru hi gawod o law ysgafn peth cynta bora 'ma, ond pan aethon ni allan, doedd y gwellt ddim wedi prin lychu, er bod 'na ddafna' bach o law yn hongian fel marblis gwyn ar ddail y coed. Mi gododd hi'n fora braf ofnadwy wedyn, a'r haul yn boeth, boeth.

Ar ôl brecwast es i i lawr am y pentra i ddanfon wya' 'run fath ag arfer, ac mi rois i 'mlows newydd ges i ar 'y mhenblwydd, amdanaf, er mwyn i bawb gael gweld.

Mae chwaer Miss Lewis, Fronddu, wedi cyrraedd o Sir Fôn am wylia'. Mae hi'n gweini yn Baron Hill ac mi fuodd hi'n deud llawar iawn wrtha i am ei gwaith, a lle mor grand ydi o. Mi o'n i'n deud wrthi hi fel rydw i'n gobeithio cael mynd i weini flwyddyn nesa. Mae o'n waith reit galad, medda' hi, ond mi faswn i wrth 'y modd cael gweld sut mae'r byddigions yn byw.

Rydan ni newydd gael swpar gwerth chweil heno 'ma. Tada wedi bod i lawr at yr afon i bysgota, ac mi ddaeth adra efo pedwar brithyll mawr yn 'i fag. Ew, mi oeddan nhw mor dda — blas yr afon arnyn nhw. Mi faswn i wedi medru byta'r pedwar fy hun.

Mehefin 24ain: Dim ond newydd ddŵad i'r tŷ ydw i rŵan, ac mae hi bron yn hanner awr wedi naw. Mae hi'n gynhaea gwair arnan ni heddiw, ac mi rydan ni wedi bod allan yn y caea' er pan ddaethon ni adra o'r ysgol. Mi ddaru Defi John chwara' triwant, ac mi ddeudodd Mama y basa fo'n cael am 'i fod o'n hogyn, iddo fo gael dysgu dipyn efo'r pladurwrs, ond bod rhaid i Lisi a fi fynd i'r ysgol rhag ofn i ni gael row gan y Sgŵl.

Dwi'n meddwl mai cael aros roedd Defi John am 'i fod o wedi cael ei ben-blwydd yn wyth oed ddoe, ac na chafodd o fawr o ffys am bod pawb rhy brysur yn gneud trefniada' at y cynhaea.

Mi fuo'n rhaid i Lisi a finna' styrio ddoe hefyd, achos roedd Mama'n gneud petha'n barod at ginio'r gweithiwrs. Rhostio lwmpyn mawr o bîff oedd hi, a Lisi a fi'n plicio moron, yn barod, ac mi fuo'n rhaid i ni ei helpu hi i grafu tatws wedyn. Dda gin i mo'r job o grafu tatws. Y peth gwaetha oedd ein bod ni'n dwy'n gwbod na chaen ni ddim tamaid o'r cinio heddiw 'ma beth bynnag, ar ôl gweithio mor galad, am ein bod ni'n mynd i'r ysgol, ond mi oedd 'na dipyn o bîff ar ôl a geuson ni hwnnw efo brechdan wedi i ni ddŵad adra.

Mi 'naeth hi ddiwrnod gwerth chweil i gneua heddiw, ac mi fydd Tada'n deud bob amsar bod cae o wair Mehefin gystal â dau yng Ngorffennaf. Mae'r anifeilia'd yn cael rhyw flas gwell arno fo, medda' fo.

Yn cyrraedd roedd y pladurwrs pan oeddan ni'n cychwyn am yr ysgol. Mi ddaeth gweision Ffridd a Cae Hen i helpu, un o Tyddyn Gwŷdd, a'r ddau hogyn 'na o'r Bala fydd yn dŵad rownd ffordd hyn bob blwyddyn i weithio yn y gwair. Fuodd bron i ni droi yn ein holau ar ôl cyrraedd y giât.

Fel roeddan ni'n cerddad adra o'r ysgol, roeddan ni'n medru'u gweld nhw wrthi yn cae pella ni, a'r haul yn dal ar y pladuria' a gneud iddyn nhw edrach fel arian. Mi oedd ogla'r gwair wedi cyrraedd aton ni 'mhell cyn i ni gyrraedd y cae, ac mi oedd y dynion i gyd wedi cael lliw haul, a'u croen nhw'n sgleinio o chwys.

Tada'n deud 'i fod o wedi bod yn trio

dysgu Defi John sut i handlo pladur, ond
'naeth o fawr ddim ohoni, am bod y pladur
yn fwy na fo.

Mi gafodd Lisi a fi gario te a brechdana'
allan i'r cae, i'r gweithiwrs gael hoe bach tua
pump, ac mi geuson ni aros yno hefo nhw, a
gwrando arnyn nhw'n canu a deud straeon
doniol.

Ni ydi'r rhai cynta i gneua ffordd 'ma
'leni, ond mae Bryn Bedda' am ddechra' arni
ddydd Merchar os deil y tywydd braf, yn ôl
Tada.

Tra dwi'n sgwennu hwn rŵan, dwi'n dal i
glŵad ogla'r gwair yn fy ffroena', a lleisia'r
gweithiwrs yn canu wrth 'u gwaith.

Gorffennaf

Gorffennaf 5ed: Tada'n deud bod rhai ffermydd yn dal heb ddechra' torri gwair, ond mi rydan ni wedi gorffan hel ein gwair ni heddiw 'ma. Rydan ni wedi bod yn ei weld o'n melynu'n braf yn yr haul, wrth i ni fynd a dod o'r ysgol, ac yn gobeithio bob dydd na fasa hi ddim yn bwrw glaw nes bod pob dim drosodd.

Roedd y dynion wedi bod yn brysur drwy'r dydd, ac erbyn i ni ddod adra o'r ysgol roeddan nhw bron â gorffan. Beth bynnag, mi gafodd y tri ohonan ni hwyl fawr yn neidio ar gefn y drol, ar ben y twmpath gwair, pan oedd Tada'n dod â fo i lawr o'r cae top. Golwg doniol ofnadwy ar Defi John, wedi cael benthyg het wellt gan un o'r gweithiwrs, a honno filltiroedd rhy fawr iddo fo, nes ei fod o'n edrach yn debycach i fwgan brain, yn enwedig efo gwair o'i gwmpas o ym mhob man.

Wrth i ni ddod heibio Bryn Bedda', mi welson ni Dic Tyrchwr yn dringo dros y gamfa am lwybr yr Erw, a dyma ni'n chwibianu arno fo a gweiddi "iw-hw". Mi ddaru o ddychryn, a bron iawn iddo fethu'i droed ar y gamfa. Fel yr oeddan ni'n mynd yn ein blaena' ar hyd y ffordd, mi welon ni Dic yn chwifio'i ddwrn yn yr awyr mewn gwylltinab, am i ni 'neud iddo fo faglu ma'n siŵr, a be' wnaethon ni ond chwifio'n dwylo'n ôl arno fo a gweiddi "Ta-ta", i edrych fasa fo'n colli'i dempar. Wnaeth o ddim chwaith, ond o ran hynny mae o'n gwbod erbyn hyn ein bod ni'n mynd yn wirion bost bob blwyddyn adeg y gwair.

Mae Sam y merlyn wedi gweithio'n galad heddiw, 'rhen gr'adur, a phan gyrhaeddon ni adra efo'r llwyth ola un, mi gafodd o'i rwbio i lawr efo cadach gan Defi John a mynd i orffwys i'r cae, wrth 'i bwysa', a chwara' efo'r ieir. Mae Sam wrth 'i fodd efo'r ieir.

Gorffennaf 10fed: Hwrê, hwrê, diwrnod gorau'r ha — 'rysgol wedi cau. Nid nad ydw i ddim yn licio'r ysgol, ond O! mi fydd hi'n braf cael gneud be' fynnon ni am wsnosa', heb orfod gneud ein hunain yn barod at bora wedyn.

Mi gawson ni de parti yno pnawn 'ma, cyn gorffen, ond y piti oedd ei bod hi wedi dechra' poeri glaw mân, a Mr Jones y Sgŵl yn deud y basa'n well peidio trystio bod allan, felly yn y neuadd y cawson ni'r te. Biti am hynny achos y peth gora' am y te parti ydi'r gêms fyddwn ni'n chwara' allan wedyn, ond dyna fo, fedar neb 'neud dim ynghylch y tywydd. Lwcus ein bod ni wedi hel gwair tŷ ni i gyd i mewn cyn i'r glaw 'ma ddechra'.

Mi gawson ni chwara' yn y neuadd ar ôl y te, ond doedd 'na ddim gymaint o hwyl ag arfer wrth bod llygaid Mr Jones a'r *teachers* er'ill yn medru cadw golwg barcud ar bob twll a chongol ohoni.

Am ei bod hi'n ddiwrnod dwytha, geuson ni ddod â'r petha' rydan ni wedi bod yn 'u gneud nhw dros y flwyddyn adra hefo ni. Mi o'n i wedi gorfod gneud brat yn y *class* gwnïo, un gwyn hefo pwytha' lliwgar ar 'i waelod o. Chwerthodd Defi John am 'i ben o pan welodd o fo ar y ffordd adra, deud na faswn i byth yn 'i wisgo fo, a be' ddaru o ond ei gipio fo o'n llaw i, a'i daflu o i ben goedan. O! o'n i'n wyllt, am 'mod i ishio i Mama 'i weld o'n newydd, lân neis, ond mi gafodd Defi John hwyl fawr yn torri brigyn, a'i daflyd o i fyny at y brat, i drio'i gael o i lawr. Mi ddaru ddisgyn i lawr yn y diwadd, ond 'i fod o wedi glychu i gyd wrth bod y dail yn 'lyb ar ôl y glaw mân gafwyd pnawn 'ma. Mi syrthiodd y brat i lawr fel tasa fo'n gadach llestri, ac O! mi oedd o'n edrach yn hyll, wedi mynd o'i blyg i gyd.

Mi fydd raid i Defi John gymryd gofal y dyddia' nesa 'ma, achos mi fydda i'n siŵr o'i gael o'n ôl am beth 'naeth o heddiw.

Gorffennaf 11eg: Fel hyn bydd hi hefo ni bob blwyddyn, cael tywydd poeth, braf, ddechrau'r mis i 'neud i bawb ddyheu am y gwylia', a wedyn cynta maen nhw wedi dechra', y tywydd yn troi ar ei union.

Mae hi wedi gneud hen ddiwrnod llwm ofnadwy heddiw, a hitha'n ddiwrnod cynta'r gwylia'. Cawodydd ysgafn gawson ni, ond fedran ni ddim mynd i chwara' i nunlla pell, am y basan ni'n cael row am ddod adra'n socian. Mama'n deud bod 'na ddigon o waith i'n cadw ni'n ddiddig, dim ond helpu dipyn o gwmpas y lle 'ma.

Ond dydi hynny ddim yn hwyl go iawn, rydan ni'n gneud rhywfaint o helpu drwy'r flwyddyn.

Beth bynnag, ella codith hi at wsnos nesa — gobeithio wir, achos mae hi wedi bod yn debycach i aea nag i ha heddiw 'ma.

Gorffennaf 15fed: Y diwrnod poeth cynta i ni gael er pan ydan ni gartra. Mi ddaru ni'n tri benderfynu y basan ni'n mynd i lawr at Lyn Creigia' i weld oedd 'na rai'n nofio yno, ac wrth lwc mi welson ni Wil Tom a Morus, hogia'r Lodj, ar ein ffordd, ac mi ddaethon nhw efo ni.

Mi fydda i wrth 'y modd mynd i Lyn Creigia' yn yr ha — a phlant Bont i gyd o ran hynny, er nad ydi o ddim yn llyn go iawn, ond pwll llyfn yn yr afon i lawr wrth ymyl y Pandy.

Erbyn i ni gyrraedd yno, mi oedd 'na rai yno o'n blaena' ni, ac mi welon ni un o'r hogia'n deifio fel pysgodyn i'r dŵr.

Mae cymaint o blant wedi dringo'u ffordd

dros y ffens sy wrth ochr lôn Pandy, drosodd at y creigia', fel nad ydi o'n broblem o gwbl i ni rŵan, ond mae hi'n dipyn o job llwybreiddio i'r gwaelod wrth bod y llethra' mor serth, ac eithin a phob math o betha' er'ill yn tyfu drostyn nhw. Mi fydd Mama yn ein rhybuddio ni bob amsar am gymryd gofal gan y basa hi'n beth mor hawdd i ni slipio a syrthio i'r dŵr. Beth bynnag, mi aethon ni i lawr yn iawn, ac O! mae hi'n braf eistedd ar y graig fawr fawr sy'n hongian dros y llyn. Arni hi y bydda i a Lisi'n eistedd i weld yr hogia'n nofio. Y peth gora' am Llyn Creigia' ydi mai 'chydig o haul fydd yna byth, wrth bod y coed tal 'na'n plygu drosto fo fel ambarél, a dim ond pinna' bach o haul fyddwn ni'n weld weithia', yn sleifio i mewn rhwng y dail. Lle iawn i synfyfyrio ydi o, wrth edrych i lawr i'r dŵr, a methu gweld ei waelod o. Mi fues i'n meddwl am Ifan am hir iawn heddiw, methu deall sut na fasan ni wedi cael llythyr arall ganddo fo erbyn hyn. 'Sgwn i ydi o wedi cael y llythyr yrris i iddo fo? Mi fydda Ifan wrth ei fodd yn nofio yn Llyn Creigia' ers talwm hefyd, a fo oedd y gora' bob amsar.

Edrach pwy fedra aros o dan dŵr hira heb orfod dod i fyny i gymryd 'i wynt, oedd yr hogia' heddiw 'ma, ac mi oedd Lisi a fi'n cyfri un, dau, tri, ar dop ein lleisia', er mwyn cadw cownt. Argian, mi fuodd Morus o dan dŵr am hir — nes ein bod ni wedi cyfri deg — ac erbyn hynny mi roeddan ni wedi codi ar ein traed ac yn gweiddi'n uwch byth, achos mi oeddan ni ofn bod rhywbeth wedi digwydd iddo fo. Ond mi ddaeth i fyny yn y diwadd, ym mhen draw y llyn, lle nad oeddan ni ddim yn disgwl ei weld o — a fo ddaru ennill. Mi fuodd reit yn y gwaelod, medda' fo, a thwtsiad gwely'r afon efo'i ddwylo. Dydw i ddim yn credu hynny achos maen nhw'n deud nad oes 'na ddim gwaelod i Lyn Creigia'.

Gawson ni'n dychryn wedyn, achos mi 'ddyliodd Wil Tom 'i fod o wedi gweld dyfrgwn ochr arall i'r afon, ac mi ddoth yr hogia' allan o'r dŵr rhag ofn.

Wrth i ni ddringo'n ôl i fyny'r llethra' am lôn Pandy, mi lithrodd Lisi a sgriffio'i choes ar garreg. Roedd hi'n meddwl ei bod hi'n marw, ond doedd o fawr o ddim i gyd. Mi fedrodd gerddad adra'n iawn, ond ei bod hi'n cwyno'r holl ffordd.

Gorffennaf 20fed: Mi fues i'n danfon wya' i'r pentra bora 'ma hefo 'masgiad, ac mi aeth Tada i Gaernarfon i'r farchnad. Doedd ganddo fo ddim llawar i ddeud pan ddaeth o adra, a ddaru o ddim hyd yn oed ddŵad â choesyn o india-roc i ni, fel bydd o'n arfar gneud.

Ar ôl te mi aeth Defi John a Lisi i chwara' efo Sam, a dwi'n meddwl bod Tada wedi cymryd 'mod inna wedi mynd hefo nhw. Chwara' cuddiad efo Meri Mew a'r cathod bach o'n i, yn y tŷ gwair, ac mi glywis i Tada a Mama'n siarad yn ddistaw bach wrth ddrws y beudy. Roedd o'n deud bod 'na sôn mawr yn y dre am ymladd ofnadwy yn Ffrainc. O! gobeithio cawn ni lythyr gan Ifan yn o fuan.

Gorffennaf 23ain: Lisi a fi wedi bod yn hel llus heddiw 'ma. Mama'n deud bod golwg glaw arni hi, a bod awydd ganddi am deisan llus, gan nad ydan ni ddim wedi ca'l un 'leni. Mi ddaru hi'n gyrru ni'n dwy a phisar bach bob un pnawn 'ma, ac mi ddeudodd Tada wrthan ni bod 'na glwmp go lew dros y ffordd i giât Bronant. Gawson ni hyd iddyn nhw heb ddim traffarth, y draffarth fwya oedd eu rhoi nhw yn y pisar a dim 'u byta nhw ein hunain, ond mi 'naethon ni reit dda. Mi ges i dipyn bach o fraw pan rois fy llaw yn y gwrych un waith, achos mi welais i rywbeth yn symud yn agos agos ata i, a be' oedd o ond gena' goeg yn gwibio o un garreg i un arall. Ddudis i ddim byd wrth Lisi ne' mi fasa ganddi hi ofn.

Wrth i ni ddŵad adra mi oedd 'na 'chydig bach o awal yn ysgwyd bloda'r gwynt, a gneud i'r gwrychoedd i gyd edrach fel tasan nhw'n crynu. Mi fasan ni wedi hel rhai, oni bai bod gynnon ni'r piseri i'w cario.

Mi ddaru Mama deisan llus heno 'ma, ond dydan ni ddim yn cael tamaid ohoni tan fory. Mi oedd 'na ogla bendigedig arni hi pan ddaru hi 'i thynnu hi o'r popty, ac mi oeddan ni'n ysu am damaid, ond mi ddudodd

70

Mama na chysgan ni ddim tasan ni'n ca'l. Biti, ond mi rydan ni'n edrach ymlaen at fory rŵan.

Gorffennaf 25ain: Mi fuo Lisi a fi i fyny i gwarfod Tada o Cae Mawr heno 'ma, ac wrth i ni gerddad adra nôl, mi welson ni glamp o gryr glas yn y ffrwd fach sy ar gaea' Cae Mawr, a hwnnw'n codi i fyny'n ara deg a'i adenydd o fel ambarél. Welis i 'rioed un ohonyn nhw mor agos â hyn'na o'r blaen. Arwydd bod lli Awst ar 'i ffordd ydi o, medda' Tada — agor fflodiart.

Gobeithio nad ydi o ddim yn deud y gwir, achos dwi'n cael mynd i aros i dŷ Anti Nel ac Uncle Danial yn y dre mis nesa. Dim ond fi sy'n cael mynd, am mai fi 'di'r hyna, ac mi fedra i helpu o gwmpas y lle. Mae Lisi'n sâl eisiau cael dŵad, ond cheith hi ddim, mae'n rhaid iddi hi aros gartra.

Mae 'na wawr goch werth ei gweld yn yr awyr heno, ond hen biti bod 'na byst dan yr haul yr un pryd. Mae gen i ofn mai Tada sy'n iawn, ac mai bwrw fydd hi fory.

Awst

Awst 3ydd: Mae hi wedi gneud tywydd go oer ddiwadd 'rwsnos ddiwetha, o feddwl pa amsar o'r flwyddyn ydi hi. Biti garw am hynny, achos mi oedd Mrs Robaits, Cae Hen, wedi gaddo ers talwm y caen ni'n tri fynd efo hi a Jên a Jim i draeth y Foryd am ddiwrnod. Ddydd Iau dwytha roeddan ni i fod i fynd, ond mi basiwyd gan Mrs Robaits ei bod hi'n rhy oer i fynd i'r dŵr, ac mi ddaru ni ddechra' meddwl na cheusan ni byth fynd — ond heddiw oedd y diwrnod mawr.

Mi ddaeth Jim i lawr yma peth cynta bora 'ma i ddeud eu bod nhw am gychwyn, ac wedyn mi fwriodd Mama ati i 'neud brechdana' i ni fynd efo ni. Doedd hi ddim rhyw fodlon iawn chwaith — deud nad oedd hi ddim digon cynnas o hyd, i ni feddwl 'drochi, ond mi gytunodd i ni fynd, wrth bod Mrs Robaits, Cae Hen, yn mynd â ni.

Wedi i deulu Cae Hen gyrraedd yma, mi welon ni bod gan Mrs Robaits fasged fawr efo hi, a'i llond hi o fwyd — brechdana', teisan, a phob dim at 'neud te. Mi ddudodd hi y basa'n rhaid i ni i gyd gymryd twrn ar ei chario hi — un bob ochr, am ei bod hi'n drwm, a Defi John a Jim fuo raid neud gynta.

Cerddad wnaethon ni i draeth y Foryd, i lawr drwy Bont a Llanfaglan, ac er ei bod hi'n reit oer pan gychwynnon ni, erbyn i ni gyrraedd Eglwys Llanfaglan mi oedd yr haul yn twnnu'n braf a minna'n gweld y môr ymhell o'n blaena' ni'n las, las, las.

Erbyn cyrraedd y Foryd, mi oeddan ni wedi blino'n ofnadwy, ond chym'ron ni ddim arnon o gwbl er mwyn i ni gael mynd i nofio ar ein hunion. Dydw i ddim yn medru nofio — dim ond padlo buo Lisi a fi — ond mi oedd Defi John a Jim fel petha' gwirion, ishio gweld pwy fedra nofio bella o'r lan. Mi fuon nhw'n rhedag ar ein hola' ni'r genod wedyn, yn trio gneud i ni syrthio i'r dŵr, ond mi ddaru ni redag yn gynt na nhw, a thrio tynnu Mrs Robaits efo ni, edrach fasa hi'n mynd i ganol y dŵr. Wnâi hi ddim, achos mi oedd hi wrthi'n gosod y cinio allan, a berwi'r dŵr i 'neud te, ac mi oeddan ni'n awchu am fwyd erbyn hynny hefyd. Brechdana' caws oedd gynnon ni'n tri, ac mi oedd Mrs Robaits wedi gneud rhai jam, ac mi gawson ni dipyn o'r rheini hefyd, a thamaid o'r deisan gymysg. Erbyn gorffan roeddan ni 'di byta gormod i symud, felly mi orweddon ni i lawr yn braf yn yr haul, i gael seibiant. Mi ddaru Defi John a Jim ddechra' chwara'n wirion ymhen dipyn, ar ôl blino bod yn llonydd — a thaflu cregyn bach aton ni, a ninna wedi cau'n llygaid, smalio cysgu. Mi oedd Mrs Robaits wedi nodio i gysgu go iawn, a'i cheg hi'n 'gorad, a'r peth nesa oedd i un o'r cregyn 'ma landio yn 'i cheg hi. O! mi geuson nhw row wedyn — Mrs Robaits yn deud y basa hi wedi medru tagu i farwolaeth — ond doeddan ni ddim yn medru peidio chwerthin, roedd o mor ddoniol. Ddaru hi fygwth y basa'n rhaid i ni gychwyn adra ar ein hunion, ac mi heliodd bob dim i'r fasged a chychwyn cerddad. Tynnu'n coes ni oedd hi mewn gwirionedd, achos cerddad cyn bellad â'r Hen Eglwys ddaru hi — er mwyn i ni gael hel cocos cyn dŵad adra.

Dros y ffordd i'r Hen Eglwys mae'r cocos gora' i'w cael bob amsar, ac mi ŵyr Mrs Robaits yn iawn yn lle, achos flynyddoedd yn ôl, pan oedd hi'n hogan ifanc, mi oedd hi'n arfer 'u hel nhw a mynd â nhw i'w gwerthu i Gaernarfon, medda' hi. Roeddan ni'n medru gweld ei bod hi wedi araf, wrth y ffordd roedd hi'n medru codi'i sgert a'i phais i fyny mor handi, a'u rhoi nhw'n sownd wrth 'i gwasg, ac mi oedd hi'n medru dod o hyd i'r cocos mor gyflym â gwylan fôr, hefo'r hen lwy bach bren 'na sydd ganddi hi. Mi gawson ni andros o hwyl yn hel, er na ddaru ni ddim cael gymaint â hi. I mewn i'r fasged fawr yr aethon nhw i gyd i'w cario adra, ac mi 'u rhannwyd nhw wedyn, fel bod 'na ddigon i swpar yn Cae Hen a Nant-y-Wrach. Newydd orffan byta rydan ni rŵan — mae'u blas nhw yn 'y ngheg i o hyd. Blas mwy ydi o hefyd.

Awst 7fed: Mi gawson ni gawodydd trymion iawn ddoe ac echdoe, ac mi oedd sŵn y glaw yn curo gymaint ar y to ac ar yr iard nes ei fod o fel sŵn gynna'n saethu. Mi oeddan ni ofn yn ein gwlâu neithiwr, achos mi oedd 'na sŵn trana' yn bell, bell — a mi guddion ni'n penna' dan y blancedi.

Mi fuon ni ar hyd lôn Bicall pnawn 'ma, a gweld bod 'na olwg go lew am gnau, a rhai wedi tyfu mor fawr nes basa rhywun yn meddwl yn siŵr eu bod nhw'n barod. Mi ddaru Defi John ddringo i nôl rhai, i gael gweld, ac wedi i ni 'u cracio nhw'n 'gorad hefo'n dannadd, doedd yna ddim byd ond rhyw ddotyn bach gwyn, meddal, yn y rhan fwya ohonyn nhw.

Mae'r mwyar duon yn dechra' troi'n goch rŵan, ond mi fydd 'na dipyn o wsnosa' nes eu bod nhw'n barod i'w hel. Tasan ni'n cael dipyn o haul mi fyddan yn barod yn gynt. Ella cawn ni 'rwsnos nesa.

Awst 10fed: Dw i'n teimlo'n rhyfadd heno yn sgwennu hwn, a finna yn tŷ Anti Nel ac Uncle Danial yn Crown Street, Caernarfon. Tada ddaru ddŵad â fi i lawr pnawn 'ma, ac mae o am ddod i fy nôl i ddydd Sadwrn nesa. Ers dyddia' mi dwi wedi bod yn edrach ymlaen at gael bod yn rhydd oddi wrth Lisi a Defi John, ond pan oeddan ni'n cychwyn, a finna'n chwifio fy llaw ar Mama a nhwtha yn sefyll yn y giât, O! mi faswn i wedi rhoi rwbath am iddyn nhw gael dŵad efo fi. Dwi'n iawn rŵan, wedi cyrraedd yma, a gweld y dre mor brysur. Mae 'na gymaint o betha' i mi gael eu gwneud nhw wsnos nesa.

Awst 11eg: Mi fues i yn yr eglwys efo Anti Nel bora 'ma a heno 'ma. Mae hi reit i fyny yn dop y dre, a wedyn mi oedd raid i ni gychwyn yn gynnar, wrth bod 'na dipyn o waith cerddad. Mi oedd o'n beth rhyfadd i mi, cerddad drwy un stryd i un arall, ac un arall wedyn — heb olwg o goedan na gwrych yn nunlla. Mi ges i hwyl yn yr eglwys, achos mi oedd y bobl yn codi ar 'u traed ac yn eistedd i lawr ac yna'n codi wedyn, nes 'mod i ddim yn gwbod lle'r o'n i. Am mai i'r capal 'dan ni'n mynd, do'n i ddim yn deall gwasanaeth yr eglwys. Ond mi oedd hi'n hardd tu mewn. Fedrwn i fod wedi aros yno drwy'r dydd, dim ond yn edrych arni.

Mi ddaru 'na ffrindia' i Anti Nel ddod yn ôl i ga'l cinio efo ni — mae hi'n *governess* ar blant yn un o dai mawr y dre 'ma, ac mi ddaru Anti Nel fy warnio fi i fyhafio 'ngora'. Mae'n rhaid 'mod i wedi gneud, achos pan glywodd y ddynas mai wedi dŵad yma ar 'y ngwylia' ro'n i, mi ddaru hi roi pisyn tair yn bresant i mi, i mi gael ei wario fo yn ystod yr wsnos.

Dim ond un peth dwi ddim yn licio yma — bod 'na dai a thai a thai o'n cwmpas ni ym mhob man. Pan fydda i'n sgwennu hwn gartra, mi fydda i'n medru edrach allan drwy'r ffenast, a gweld yr haul yn mynd i lawr, a dibynnu beth fydd 'i liw o, a lliw yr awyr, mi fydda i'n dyfalu sut ddiwrnod fydd hi fory. Dim ond gola' lamp yn ffenast y tŷ dros ffordd ydw i'n weld yn fan'ma.

Awst 12fed: Diwrnod golchi oedd hi i Anti Nel heddiw 'ma. Mi o'n i wedi meddwl cael mynd am dro i weld y dre, ond mae hi wedi deud na cha i ddim mynd os na fydd hi ne' rhywun arall hefo fi, rhag ofn i mi fynd ar goll.

Fuo'n rhaid i mi'i helpu hi hefo'r golchi, ac efo'r manglo wedyn. Roedd hi'n deud mae'n siŵr bod gen i fwy o nerth na hi wrth 'mod i'n ifanc, a wedyn mi fues i'n troi handl y mangl rownd a rownd a rownd. Roedd yn rhaid i mi sefyll ar ben pwcad i fedru'i chyrraedd hi, ond rargian, erbyn i mi orffan, ro'n i'n teimlo bod 'y mraich i am syrthio i ffwrdd!

Dwi'n lecio Anti Nel yn iawn hefyd, chwara' teg, achos ar ôl cinio mi ddaru hi fynd â fi i weld y Pafiliwn. Glywis i Tada'n sôn yn amal am y cyfarfodydd y bydd o'n mynd iddyn nhw yn y Pafiliwn, ond tan heddiw 'ma, a dyn yn hongian yn y to, ar o mor fawr. Rhyw fath o syrcas oedd yna heddiw 'ma, a dyn yn hongian yn y to, a ddim byd ond weiran bach dena' dena', mor dena' fel na fedra neb ei gweld hi, bron iawn. O! o'n i ofn iddo fo syrthio, ac mi oedd 'na lot o bobol er'ill yno'n dal 'u gwynt, ofn i rywbath ddigwydd iddo fo.

Y clown 'nes i fwynhau fwya — mi oedd o'n baglu dros ei draed a phetha' felly, ac mi ddaru o bwyntio ataf fi, a gofyn i mi be' o'dd fy enw fi. "Maggie," medda' fi. O! ac mi o'n i'n crynu wrth ddeud — meddwl bod bawb yn sbio arna i. Be' ddaru o ond tynnu blodyn bach o lawas ei gôt — dim un go iawn, un wedi ca'l 'i 'neud efo papur — ac mi ddaru'i daflyd o i mi. Mi cadwa i o am byth, i gofio am y tro cynta bues i yn y Pafiliwn, efo Anti Nel.

Awst 13eg: Dwi wedi bod am dro rownd y dre efo Anti Nel heddiw 'ma. Argian, mi oedd 'na lot o bobol o gwmpas, yn gweu drwy'i gilydd 'run fath â morgrug, a roedd 'na dipyn o hogia'r Armi hefyd, yn sefyllian ar y sgwâr.

Ar ôl i ni fod yn y farchnad, ac i Anti Nel brynu menyn yno, mi ddaethon ni'n ôl yma wedyn i ollwng y negas, a mynd i lawr i'r cei, i edrach os oedd cwch Uncle Danial yno. Pysgotwr ydi o, ac mae o allan bob math o oria', ddydd a nos, yn 'sgota. Mi oedd hi'n brysur iawn ar y cei hefyd — llonga'n dŵad i mewn a llond 'u rhwydi nhw o bysgod yn gwingo 'run fath â phryfaid genwair — O! ac am ogla' oedd 'na yno.

Mi o'n i'n lecio fo hefyd — ogla'r môr, a gwylanod yn sgrechian uwch ein penna' ni. Ddaru Anti Nel nabod cwch Uncle Danial ar unwaith — ''Pluan Wen'' ydi'i enw o — a dyna lle roedd o wrthi'n dadlwytho pysgod, a'r cap doniol 'na sgynno fo yn gam ar ei ben. Mi ddaethon ni â llond basged fawr o benwaig yn ôl yma efo ni, achos mae hi'n noson gneud pennog picl heno, medda' Anti Nel, iddi gael mynd â nhw allan i'w gwerthu fory.

Mae 'na ogla gwerth chweil wedi bod yma heno wrth iddi hi'u cwcio nhw yn y badell fawr, a dwi'n edrach ymlaen at gael mynd allan efo hi i'w gwerthu nhw fory.

Fedra i ddim dod dros Anti Nel yn prynu menyn yn y farchnad! Tasa ganddi hi warthaig 'run fath â s'gynnan ni fasa dim rhaid iddi hi.

Awst 14eg: Wedi bod rownd yn gwerthu pennog picl ydan ni heddiw. Ma' gin Anti Nel ei strydoedd — rhai fydd hi'n mynd iddyn nhw bob wsnos — ac mae'n rhaid bod y bobol yn disgwl amdani hi, achos gynta roedd hi'n dechra' gweiddi, "Picl, picl, pennog, pennog picl," mi oedd plant a phobol yn rhedag allan o'u drysa', a dysgla' yn 'u llaw, i brynu rhai. Argian, dwi wedi synnu gweld gymaint o dai a'r rheini'n sownd yn 'i gilydd i gyd. Faswn i byth yn lecio byw yn un ohonyn nhw.

Mae hi'n bwrw glaw heno 'ma, a dwi'n clywad ei sŵn o'n curo ar y to.

Er pan rydw i yma, mi dwi'n methu cysgu ar ôl i mi fynd i 'ngwely, achos mae 'na dŷ tafarn mawr dri drws i lawr, ac mae sŵn dychrynllyd yn dod o' 'na, bob awr o'r nos bron iawn. Neithiwr ac echnos, mi godis i i'r ffenast, a gweld rhai meddw'n baglu ar hyd y stryd, ac yn canu fel petha' gwirion. Choda i ddim heno chwaith — mi dwi reit oer.

Awst 15fed: Mae 'na hogan tua'r un oed â fi yn byw drws nesa i Anti Nel ac Uncle Danial yn fan hyn, ac mi ddaeth ei mam hi yma bora 'ma i ofyn i Anti Nel faswn i'n lecio mynd efo nhw i'r parc pnawn heddiw. Grace Patterson ydi enw'r hogan, ac mi ddaru ni ddŵad yn dipyn o ffrindia' yn ystod y pnawn. Cerddad 'nathon ni i'r parc — dydi o ddim yn bell — ac mi oedd Anti Nel wedi rhoi dau grystyn sych i mi i fynd i fwydo'r hwyaid. O! mi oedd hi'n braf yno — glaw neithiwr wedi gneud i'r coed a'r gwellt edrach yn wyrdd, wyrdd, ac mi oedd pob coedan wedi'i thorri nes bod ei siâp hi'n berffaith.

Mi aethon ni dros y bont bach ac eistedd ar lan y llyn. Cyn pen munud mi oedd 'na hwyaid wedi dod aton ni — ac mi oeddan ni wedi gwirioni efo un. Roedd ganddi hi bedair o hwyaid bach yn canlyn ar ei hôl hi, ac mi oedd hi'n sbio reit arnan ni, fel tasa hi'n deud, "Ty'd â thamaid o fwyd i ni." Gynta dechreuon ni daflu'r bara i'r dŵr, mi ddaeth 'na haid o adar amdanon ni, ac elyrch mawr gwyn. Am bod Grace ofn rheini, mi gerddon ni o fan'no, ac aros yn nes ymlaen i edrach ar yr ynys yng nghanol y llyn, a'r ieir dŵr oedd yn mynd a dŵad ohoni hi.

Ddaethon ni ar draws coedan gastanwyddan yn y parc hefyd, ac mi 'ddylis i y baswn i'n medru cael dipyn o goncers i fynd adra efo fi i Defi John, ond er bod 'na rai wedi disgyn, roeddan nhw yn 'u plisg pigog o hyd, ac ymhell o fod yn barod. Dim ots, achos mi fydd 'na ddigon o gwmpas Bont, dim ond 'mod i wedi meddwl ella y basa concers dre yn rhai mwy.

Dwi wedi gaddo y gna i sgwennu at Grace ar ôl i mi fynd adra, achos ella y ca i ddŵad am wylia' at Anti Nel eto flwyddyn nesa.

Awst 17eg: Gartra yn tŷ ni rydw i'n sgwennu hwn heno. Wnes i ddim sgwennu neithiwr am bod Anti Nel wedi gneud i mi fynd i 'ngwely'n gynnar am 'mod i'n dŵad adra heddiw 'ma.

Ddoe mi brynais i ddesgil bach hefo *A present from Karnarvon* arni hi, yn bresant i Mama a Tada, a choesyn o india-roc bob un i Lisi a Defi John, i ddangos 'mod i wedi bod yn meddwl amdanyn nhw yn ystod yr wsnos. Mi 'u rhois i nhw iddyn nhw cynta dois i adra, ac mi oeddan nhw wrth 'u bodd.

Heno 'ma dwi wedi bod yn deud yr hanas i gyd wrthyn nhw, ac mi oedd Defi John a

Lisi yn chwerthin dros y lle pan ddudis i wrthyn nhw fel ro'n i'n cael hwyl wrth weld mwstash mawr Uncle Danial yn symud fath â ll'godan bach pan oedd o'n bwyta, a'r byddigions yn cerddad rownd y dre fel tasa gynnyn nhw *starch* yn 'u cefna'.

Dwi'n falch ofnadwy i fod gartra, er 'mod i wedi cael amsar braf yn y dre. Mi ga i gysgu'n sownd heno 'ma, heb sŵn gwylanod môr na llongwrs wedi meddwi i 'nghadw fi'n effro.

Awst 21ain: Mi fuon ni'n hel 'fala heddiw, o'r goedan fawr sy ar gongol lôn Bicall, ar y ffordd i Cae Hen. Mae'n well gynnon ni honno am mai 'fala trwyn hwch sy arni hi, ac mae blas gwerth chweil ar rheini. Dydyn nhw ddim cweit yn barod eto, ond mi fydda i'n eu lecio nhw hefo dipyn bach o flas sur — mae o'n torri sychad. Defi John ddaru ddringo i ben goedan a thaflyd y 'fala i lawr i Lisi a fu'n 'u rhoid nhw yn y fasged. Ar ôl i mi orffan, mi wnes i fynd â dipyn o 'fala i Miss Lewis y Fronddu, er mwyn iddi hi gael gneud teisan, ac mi ddaru hi roi diod oer i mi, tra o'n i'n deud hanas fy ngwylia' wrthi hi.

Mae o'n beth rhyfadd iawn, ond er pan ydw i wedi dod adra o'r dre, dwi wedi sylwi ar y nosweithia', fel maen nhw'n byrhau, er na sylwais i ddim o gwbl yn y dre. Dwi'n teimlo fel taswn i wedi bod i ffwrdd am fis, nid rhyw 'chydig dros wsnos.

Medi

Medi 1af: Fedra i ddim credu ei bod hi wedi dod yn fis Medi'n barod — does gynnon ni ddim ond rhyw 'chydig o ddyddia' nes byddwn ni'n mynd yn ôl i'r ysgol. Mi fydd yn rhaid i ni 'neud y gora' o be' sydd ar ôl rŵan.

Mi fuon ni'n hel mwyar duon ddoe. Wrth 'mod i'n mynd i lawr i'r pentra i ddanfon wya' ar ddydd Sadwrn p'run bynnag, mi ddaeth Lisi efo fi, a wedyn mi aethon ni am y mwyar duon ar ôl gorffan efo'r wya'. Roeddan ni wedi bod yn meddwl mynd i hel rhai ers dyddia', ac wedi bod yn gneud rhwbath arall o hyd, ond pan ddudodd Tada ddoe bod golwg glaw arni hi — wel, dyna ni, off ar ein hunion. Gan ein bod ni yn y pentra, mi oeddan ni'n meddwl y basan ni'n mynd i lawr at Glanrafon Bach, achos mae'r mwyar duon ar lan yr afon yn fan'no yn wrth chweil, ond rargian, ar ôl danfon yr wya' i gyd o gwmpas mi oedd ein traed ni wedi blino, felly mi helion ni fwyar duon yn y pentra rhag i ni orfod mynd cyn belled â Glanrafon. Mi gawson ni lond pisar bach bob un, ac mi oeddan nhw'n rhai mawr hefyd.

Fel roeddan ni'n cerddad adra, mi welson ni dipyn go lew o bobol wrthi'n hel yn y gwrychoedd, ond doeddan nhw ddim yn cael rhai hannar cystal â ni.

Mi ddaru Mama deisan fwyar duon neithiwr, ac mi 'i cawson ni hi wedi'i chnesu ar ôl cinio heddiw 'ma. Wel, mi oedd Lisi a fi wedi mynd i chwerthin, ac yn goch at ein clustia' — fedren ni yn ein byw gymryd tamaid ohoni. Roedd Defi John yn sglaffio rêl boi, ac yn sbio arnan ni fel tasa gynnon ni gyrn ar ein penna'. "Dowch yn y'ch blaen, hen genod gwirion, bytwch!" medda' Mama, ond fedran ni ddim yn ein byw. "Wel, y cnafon bach," medda' hi, "yn y fynwent buoch chi'n hel rhein 'te?"

Fuo raid i ni ddeud y gwir wrthi hi, ac mi gawson ni row iawn wedyn. Dydw i ddim yn siŵr iawn os ydi hi wedi madda' i ni erbyn heddiw.

'Nawn ni ddim gneud dim byd fel'na eto,

achos ni ddaru ddiodda fwya. Chawson ni ddim darn o deisan amsar te chwaith.

Medi 4ydd: Rydan ni wedi ailddechra' 'rysgol heddiw 'ma. Gawson ni'n tri dorri'n gwalltia' pnawn ddoe gan Mama, yn barod. O! gas gen i hynny. Dwi'n teimlo'n oer ac yn foel rŵan, 'run fath â dafad wedi'i chneifio.

Dwi wedi symud i fyny i ddosbarth Mrs Price rŵan, y dosbarth ola un, ac mi fydda i'n madal 'rha nesa mae'n siŵr. Dydw i ddim yn meddwl yr a' i i ysgol dre, fel ddaru Ifan, am ddwy flynadd arall, cyn gorffan.

Roedd hi'n dipyn o job i ni godi a gneud ein hunain yn barod i fynd bora 'ma, wrth ein bod ni wedi mynd allan o'r arfer dros yr ha, ond pan welson ni Tada'n dŵad i mewn efo llond ei gap o fyshrŵms o'r cae, mi ddaru ni frysio gora' medran ni, i gael digon o amsar i fyta'n brecwast. Roedd Mama wedi'u taflu nhw i mewn i'r badall ffrio mewn eiliad, ac mi oedd ogla bendigedig drwy'r tŷ. Mi oedd o'n frecwast gwerth chweil i gychwyn i'r ysgol arno fo.

Mi oedd hi'n reit fwll pan oeddan ni'n cerddad adra, ond mi ddeil hi'n ola' i ni am ryw fis eto — fyddwn ni ddim yn cerddad adra yn twllwch nes bydd hi'n fis Hydref.

Am y cnaea ŷd mae'r sôn i gyd dyddia' yma. Mae'n debyg y bydd Tada'n dechra' cyn bo hir. Does gynnon ni fawr o ŷd yma, dim ond digon ar ein cyfar ni. Mae'r cnaea'n para dyddia' ar ddyddia' tua Cae Hen a'r Ffridd, a phobol o bob man yn dŵad yno. Gobeithio y deil y tywydd yn braf, beth bynnag.

Mi gafodd Defi John dipyn o gnau ar y ffordd adra heddiw. Maen nhw'n barod rŵan, wedi mynd yn felyn ac yn galad, galad. Mi heliodd lond 'i bocad, ac allan yn yr iard buodd o wedyn, yn 'u cracio nhw efo carrag. Mi fuo'n rhaid iddo fo gyfadda 'u bod nhw'n rhy galed i'w cracio â'i ddannadd.

Medi 6ed: Dydw i ddim yn meddwl y medra i sgwennu dim byd i lawr heddiw o gwbl, ond mi fydd yn rhaid i mi 'neud, neu fydda' i ddim yn medru cysgu drwy'r nos. Dwi'n dal ddim yn coelio, a 'na i byth goelio, er bod Mama yn deud bod yn rhaid i ni fod yn ddewr a chofio bod miloedd o deuluoedd er'ill wedi mynd trwy'r un peth. Ond ni ydan ni, nid miloedd o deuluoedd er'ill, ac Ifan ydi Ifan — oedd Ifan.

Fel roeddan ni'n cerddad i'r ysgol bora 'ma, mi aeth Now Post heibio i ni, ar 'i feic. Mi waeddodd Defi John ar 'i ôl o. Gofyn oedd o'n mynd i'n tŷ ni, ac mi droiodd ynta'i ben a chodi'i law. Wel, mi oeddan ni wrth ein bodd wedyn, gwbod mai llythyr gan Ifan oedd o'n ddanfon, a fedran ni ddim gweitiad nes cael cyrraedd adra pnawn 'ma, i gael gwbod sut oedd o. Roeddan ni ar biga' drain. Y peth cynta ofynnon ni wrth ddŵad trwy'r drws oedd lle roedd llythyr Ifan. Ddaru ni ddim sylwi ar Mama o gwbl, pa mor wyn oedd hi, yn eistedd 'run fath â delw yn 'i chadar. Wedyn y trawodd hynny fi. "Waeth i ti ddeud wrthyn nhw rŵan mwy nag eto, Margiad," medda' Tada, ac mi dynnodd Mama lythyr o'i brat, a deud wrthan ni be' oedd ynddo fo.

Gin y Brenin roedd y llythyr wedi dŵad, nid gan Ifan, yn deud ei fod o ar goll ar ôl brwydro mawr yn Ffrainc — dwi wedi copïo enw'r lle i lawr odd' ar y llythyr — Dardanelles.

Mi oedd pawb yn ddistaw ofnadwy amsar te, a thrwy'r gyda'r nos wedyn. Ddaru Mama na Tada ddim deud yn hollol, ond dwi'n gwbod mai deud roedd y llythyr na ddaw Ifan ni byth adra o Ffrainc.

Mae 'na awyr glir heno, wedi'i strempio efo lliw coch fath â gwaed. Mi fydd hi'n braf fory mae'n siŵr, ac mi fydd 'na dorri ŷd.

Pan oedd Tada'n cadw dyletswydd heno, mi ddaru ddarllan 'Yr Arglwydd yw fy Mugail', ac mi oedd Lisi a fi'n crio.

Mae Defi John yn deud ein bod ni'n wirion, ac os mai ar goll mae o, wel mi ddaw rhywun o hyd iddo fo ryw ddiwrnod.

Ddaru Mama ddeud wrtha i rŵan i adael iddo fo feddwl hynny.

Medi 8fed: Mae Lisi wedi cael ei phen-blwydd yn ddeg heddiw 'ma. Mi oedd dwy o genod o'i chlass hi yn 'rysgol i fod i ddod i de pnawn 'ma, ond mi roddwyd hynny heibio o achos y newydd am Ifan. Fuodd Mr Thomas y Gw'nidog yma'n gweld Mama a Tada, ac mi oedd o'n deud nad ydi mam Tomos Huw ddim wedi clywad dim byd. Mi oedd o efo Ifan, yn yr un *batallion.*

Mae Tada'n torri'r ŷd fory, medda' fo — ond dydi o ddim byd fel y bydd o fel arfar — yn brysur fel melin bupur.

Ddaru'r hen dramp Jabez Jones, fydd yn dŵad heibio bob blwyddyn, alw yma heddiw — gofyn oedd 'na waith yn yr ŷd. Mi ddaru Mama roi powliad o siot iddo fo, ac mi ddudodd Tada y câi o waith am fory. Mae o'n cael cysgu yn y llofft bach uwchben stabal heno 'ma, lle bydda Ifan yn cysgu.

Medi 12fed: Bob blwyddyn mi fyddwn ni wrth ein bodd adag cnaea ŷd, ac yn chwara' triwant weithia', er mwyn cael mynd i'r caea'. Ond 'leni, fedrwn i ddim meddwl am gael hwyl, ac er 'mod i wedi aros gartra o'r ysgol echdoe i helpu Mama 'neud cinio, mi oedd yn dda gen i ei gael o drosodd.

Mi ddaeth dau o weision Cae Hen i hclpu, a Jabez Jones wrth gwrs, ac un o weision Ffridd, wedyn mi oedd 'na dipyn o brysurdab yma. Mi gawson ni'r tywydd gora' bosib, ddim yn boeth a ddim yn oer, yr union dywydd i weithio'n galad ynddo fo.

Chwara' teg i'r gweithiwrs, ddaru nhw ddim gneud hwyl a sbri wrth gymryd 'u cinio, achos roeddan nhw i gyd wedi clywad, er bod Mama wedi deud wrthyn nhw am 'neud fel byddan nhw bob blwyddyn.

Mae 'na brysurdab ar y ffermydd 'ma i gyd wsnos yma, ac mae'n siŵr y bydd Tada'n mynd rownd y rhan fwya ohonyn nhw i helpu.

Dwi ddim yn meddwl ei fod o'n meddwl ddwywaith am Ifan. Dwn i ddim chwaith — ella'i fod o hefyd.

Medi 20fed: Y tywydd wedi troi'n oer, a'r ha bach Mihangel hwnnw gawson ni wedi dŵad i ben. Wrth i ni gerddad am yr ysgol bora 'ma, mi oedd 'na haenan dena' o niwl i'w gweld i lawr wrth yr afon.

Mi gaeais i 'nghôt yn dynn amdana i er i

mi weld un o weision Bronant wrthi'n trwsio cloddia' yn llewys 'i grys.

Mi oedd 'na dipyn o wlith dan draed bora 'ma, ac mi welson ni un gwe pry cop clws ofnadwy efo dafna' gwlith 'run fath â pherla' bach ynddo fo.

Defi John wedi mynd i goed Plas Bryn efo Elwyn bach y Ffridd, a'i frawd mawr, Goronwy, heno 'ma. Mae o amdani hi go iawn pan ddaw o adra, achos wedi mynd i botsio mae'r tri, heb ddeud wrth neb, ond bod un o weision Ffridd yn gwbod, ac wedi deud wrth 'u tad nhw. Hwnnw newydd fod yma ar ras wyllt, yn 'i gaddo hi iddyn nhw'n iawn. Dwn i ddim pryd do'n nhw adra. Mae Tada wedi gwylltio dipyn hefyd.

Medi 21ain: Roedd hi'n ddau o'r gloch y bora ar Defi John yn dod adra, medda' Mama, ac mi roedd o wedi rhynnu. Doedd o nag Elwyn ddim wedi bod yn potsio o'r blaen, a doeddan nhw ddim yn meddwl y basa rhaid iddyn nhw aros mor llonydd mor hir yn y twllwch i ddisgwyl am yr adar — a chaethon nhw fawr o lwyddiant yn diwadd.

Mae Defi John yn sniffian, wedi bod wrthi drwy heddiw 'ma — coblyn o annwyd mae o 'di 'i gael. Tada'n deud ei bod hi'n serfio fo'n iawn mai annwyd ydi'r unig beth ddaliodd o yng nghoed Plas Bryn.

Medi 23ain: Mae 'na lot fawr o bobol pentra wedi bod yma yn cydymdeimlo efo Mama a Tada. Mi ddaru Mr Jones y Sgŵl siarad am Ifan, 'run fath â ddaru o am Robat Ellis, yng ngwasanaeth bora'r ysgol. Agnes, Cefn Libanus, ddaru ddeud wrtha i, achos fuon ni ddim yn 'rysgol diwrnod hwnnw.

Fedra i ddim diodda bod i mewn yn y tŷ 'ma o gwbl ddim mwy — gweld Mama'n gwisgo'r hen ddillad du 'na o hyd, ac yn deud fawr ddim wrthan ni, fel tasa hi mewn rhyw fyd bach arall ei hun.

Dwi'n gwbod y basa pob dim yn iawn tasa Ifan yn cerddad i mewn trwy'r drws.

O! mi fydd yn dda gen i pan eith y mis yma heibio.

Dyma'r mis gwaetha dwi wedi'i gael yn fy mywyd erioed.

Hydref

Hydref 5ed: Mae'r dyddia'n byrhau rhyw 'chydig bach bob dydd rŵan — rydan ni'n sylwi ar hynny yn y bora ac ar ddiwadd y pnawn. Ond dydi hi ddim yn aea eto, ac mae 'na dipyn o waith o gwmpas y ffermydd a'r tyddynnod 'ma cyn y bydd hi wedi dŵad yn dwll gaea arnon ni.

Mae'r adar bach yn brysur hefyd, yn hel at 'i gilydd i gyd — mi gân' nhw aea braf dros y môr, tra byddwn ni'n rhynnu yn fan hyn.

Dwi'n meddwl mai'r hydref ydi'r amsar gora' o'r flwyddyn gin i — dyma'r amsar tlysa o bell ffordd, beth bynnag. Mae dail y coed yn troi'u lliwia', a rhyw liw gwahanol ar bob un goedan; mae hi bron yn amhosib cael hyd i ddwy ddeilan sy'n union 'run lliw. Fasa rhywun ddim yn credu bod 'na gymaint o wahanol felyn a brown mewn bod.

Mae 'na bob math o gaws llyffant wrth fonion y coed rŵan hefyd, a siapia' od ofnadwy ar rai ohonyn nhw. Docs fiw i ni 'u byta nhw, ac mae'n rhaid i mi gadw golwg ar Defi John wrth gerddad adra o'r ysgol achos mae o'n deud o hyd bod gymaint o ishio bwyd arno fo fel medra fo fyta rwbath, ac mi fydd o'n ll'gadu'r caws llyffant 'ma reit amal. Mi ddaru ddod o hyd i un coch heddiw, clamp o un mawr na welson ni ddim byd tebyg iddo fo o'r blaen. Mi benderfynodd Lisi, os oes 'na dylwyth teg yn bod, wel, o dan beth fel 'na maen nhw'n byw, wedyn ddaru Defi John ddim twtsiad ynddo fo, rhag ofn iddo fo'u styrbio nhw. Mi brysurodd i ddeud wedyn nad ydi o ddim yn coelio mewn petha' gwirion felly.

Hydref 7fed: Clywad heddiw bod yr injan ddyrnu wedi cyrraedd i'r ardal yma. Yn y Ffridd mae hi heddiw, ac mi fydd yno fory hefyd mae'n siŵr, a dod i lawr ar hyd y ffermydd 'ma wedyn — Cae Mawr, Cae Hen, tŷ ni, Bronant.

Does 'na fawr o drefn ar Defi John efo mynd i'r ysgol yn ddiweddar 'ma, ac mae 'na fwy o esgus byth iddo fo gael aros gartra, rŵan bod y tymor dyrnu wedi dechra'. Mi fuodd yn y Ffridd heddiw 'ma, ac mi ddudodd Tada y ceith o fethu'r ysgol achos cario dŵr a glo i'r injan mae o, ac wedi gweithio reit galad trw' heddiw, medda' fo. Sgwennodd Tada nodyn i Mr Jones y Sgŵl a dwi'n mynd â fo i'r ysgol fory. Mae'n siŵr y bydd pob dim yn iawn, achos gneud be' fydda Ifan yn arfar ei 'neud mae o. Mi fydda Ifan wrth 'i fodd amsar dyrnu, wrth bod 'na gymaint o hwyl i'w gael.

Hydref 12fed: Roedd yr injan ddyrnu yma heddiw. Mi godis i a Lisi efo'r ceiliog bora 'ma, a gwisgo a chael brecwast bron cyn iddi hi ddyddio, achos mi oedd Mama wedi deud y caen ni fynd i fyny ar hyd lôn i gwarfod yr injan o Gae Hen. Mi oedd hi'n werth ei gweld, a dau o geffyla' gwedd Cae Hen yn 'i thynnu hi i lawr y lôn yn ara deg, 'run fath â hers blu Gryffis Buildars — ond bod pawb wrth 'u bodd yn gweld yr injan.

Mi ddaru ni ddringo i ben giât Tyddyn Parthle i ddisgwl amdani hi, a'r gweithiwrs i gyd yn cerddad tu ôl iddi. Roeddan ni'n clywad ei sŵn hi o bell, ac wedi iddi hi gyrraedd aton ni, mi 'naethon ninna' gerddad i lawr efo'r dynion — meddwl ein bod ni'n bwysig ofnadwy.

Pan ddaethon ni adra o'r ysgol, roeddan nhw'n dal wrthi'n brysur, a mynd a dod fel ffair yma. Mae'r tyddynnod bach er'ill o gwmpas, 'run fath â Tŷ Cam a Tŷ'n Clwt yn dŵad â'u hŷd nhw i gael ei ddyrnu yn fan hyn, wrth nad oes gynnon ni ddim llawar ein hunain, ac i arbad i'r injan orfod mynd i lawr y llwybra' bach 'ma i berfeddion gwlad.

Pan aethon ni i'r tŷ, mi oedd Alsi, Tŷ Cam, yn cael te efo Mama, ac mi ddeudodd hi wrthi ei bod hi'n ei gweld hi'n edrach reit gwla, a rhoi bagiad o ddail iddi hi 'neud trwyth efo fo. Mae pob math o salwch yn medru taro'r amsar yma, troad y rhod, medda' hi.

Rydan ni dipyn bach o ofn Alsi, ac mi aethon ni allan cynta bod ni wedi cael te, rhag ofn iddi hi weld golwg rhyw salwch arnon ni.

Hydref 14eg: Heddiw roeddan ni'n codi tatws. Mae Tada wedi bod ar biga' drain —

deud na fuodd o 'rioed o'r blaen yn ei hanas heb godi tatws cyn dyrnu, ond dyna fo, mi aeth pob dim i waered yma pan gawson ni'r newyddion am Ifan, ac mae hi'n cymryd amsar i betha' ddŵad i drefn.

Mae'r tywydd reit gynnas, am yr amsar yma o'r flwyddyn, dim peryg' bod y tatws wedi cael rhew na dim byd felly, wedyn does 'na fawr o wahaniaeth, dim ond bod Tada wedi arfar gneud petha' yn 'u trefn 'rioed.

Mae'r injan ddyrnu yn Bronant o hyd, a gweision Ffridd a Cae Hen yno hefyd, felly mi oeddan ni'n brin o dd'ylo efo'r tatws. Mi gafodd Lisi a fi aros gartra i helpu Mama a Mrs Robaits, Cae Hen, yn y cae, ac mi ddaeth Nansi, Tŷ'n Clwt, yma hefyd. Peth rhyfadd ydi o gymaint o ferchaid sy'n tyrru i godi tatws bob amsar.

Hydref 18fed: Mae'n dda gen i bod heddiw wedi mynd drosodd. Dyma'r tro cynta i mi ddyheu am gael bod yn 'rysgol ar ddydd Sadwrn, achos mi oedd hi'n ddiwrnod lladd mochyn yma. Ganol Hydref byddwn ni'n

101

gneud bob blwyddyn i gael digon o gig i bara dros y gaea — ac er 'mod i'n licio'r cig, mi faswn i'n licio'i gael o heb orfod lladd y mochyn. Un o'r moch bach gafodd Bessie llynadd gafodd ei ladd, ac er 'mod i yn y tŷ, ro'n i'n medru clywad ei sŵn o'n gwichian, beth bach, pan o'dd Dic Tyrchwr yn 'i ddal o i dorri'i wddw fo.

Dda gen i ddim gweld petha' fel 'na, ond mi oedd Defi John yno yn llygaid i gyd — dwn i ddim sut medra fo.

Tada'n deud bod Dic Tyrchwr y gora' ffordd hyn am ladd mochyn a'i dorri o i fyny, ac mi oedd Mama'n brysur yn y bwtri'n gneud lle i'r cig gael ei halltu a'i hongian. Mae hi'n hel y gwaed mewn powlan bob blwyddyn i 'neud pwdin gwaed. Mi gadwais i'n ddigon clir, achos mae gweld y bowlen yn codi pwys arna i.

Mi gawson ni swpar lladd mochyn heno 'ma, a theulu Cae Hen wedi cael gwadd, felly rydan ni wedi cael cwmpeini Jên a Jim drwy'r gyda'r nos. Mi fuon ni'n chwara' cuddiad yn y beudy a'r stabal a Meri Mew yn methu dallt be' oedd gymaint o blant yn 'neud yn rhedag fel petha' gwirion o'i chwmpas hi. Roedd ei llygaid hi 'run fath â sêr, achos mae ofn Jên a Jim arni hi.

'Daeth teulu Cae Hen ddim o 'ma nes 'i bod hi wedi naw, ac erbyn hynny, mi oedd wedi codi'n wynt cry, a'i sŵn o fel washbord yn y coed.

Mae hi bron yn ddeg rŵan, ac mi fydd raid i mi orffan hwn, mae Mama'n swnian ei bod hi'n bell ar ôl amsar gwely.

Dwi'n siŵr na fydd 'na ddim dail ar ôl o gwbl ar y coed bora fory os deil hi i chwthu fel hyn drwy'r nos.

Hydref 19eg: Mi fuon ni yn y gwasanaeth Diolchgarwch yn yr eglwys heddiw 'ma. Eglwyswyr oedd teulu Mama ers talwm, ond ei bod hi wedi troi'i chôt efo Tada, medda' hi, wedyn mi oedd hi ishio mynd â ni yno i ni gael gweld mor hardd ydi'r eglwys wedi cael ei haddurno efo pob math o ffrwytha'.

Wel dydw i ddim wedi gweld dim byd harddach yn fy nydd. Mi oedd 'na bob ffrwyth a llysieuyn fedra rhywun feddwl amdano fo o gwmpas yr allor — tatws, moron, rwdins, nionod, 'fala — bob dim, a mi oeddan nhw wedi cael 'u gosod fel 'u bod nhw'n gneud patrwm efo'r gwahanol liwia'. Doeddan ni ddim yn medru tynnu'n ll'gada' odd' arnyn nhw.

Yn y drol aethon ni yno a dod adra, ac mi oedd yr haul yn t'wnnu arnan ni yno a roedd hi'n gynnas braf yn yr eglwys wrth ei bod hi'n llawn dop.

Ar ôl y gwasanaeth, mi ddaeth Mr Williams, y Person, i ysgwyd llaw efo Mama a deud helô wrthan ni'n tri.

"Ac mi gawsoch nerth i ddŵad, Margiad Parry," medda' fo.

"Do," medda' hitha, "mi fasa'n ddrwg iawn arnan ni tasa gynnon ni ddim byd i ddiolch amdano fo."

Dwi'n licio Mr Williams, y Person. Mae gynno fo ll'gada' neis, debyg i rai Ffan, y milgi sy gin Dic Tyrchwr.

Hydref 22ain: Mae 'na sioe yn Cae Mawr ddydd Sadwrn nesa, a chystadleuaeth aredig a phetha' felly ynddi hi. Gweld yr arwydd yn ffenast Siop Blodwen Bach ddaru ni bora

104

'ma, dydi Tada ddim wedi sôn gair wrthan ni, ac mae hynny'n beth rhyfadd, achos fydd o byth yn methu'r sioe.

Mae'n siŵr yr eith Defi John yno efo Elwyn y Ffridd, maen nhw wrth 'u bodd efo ceffyla' gwedd.

Dwi'n cofio'n iawn, amsar yma llynadd, Ifan yn deud y basa fo'n cael cystadlu yn sioe Cae Mawr mewn blwyddyn neu ddwy, ar ôl iddo fo ddysgu trin y wedd yn iawn.

Tachwedd

Tachwedd 1af: Pan fydd mis Tachwedd wedi cyrraedd, mi fydda i'n teimlo'i bod hi wedi dŵad yn dwll gaea go iawn. Erbyn byddwn ni wedi cyrraedd adra o'r ysgol, mi fydd hi'n dywyll bits, neu'n dywyll bol buwch fel bydd Tada'n deud, er nad ydw i ddim yn gwbod pryd gwelodd o du mewn buwch.

Mae hi'n braf yn y tŷ efo tanllwyth o dân coed yn clecian, ond yr unig beth nad ydw i ryw hoff iawn ohono fo ydi bod yn rhaid i ni 'neud rhwbath o hyd — dysgu adnoda' ne' emyna' at yr Ysgol Sul, a'r Band-of-Hope, ne' 'neud rhyw hen samplars gwirion. Mi ddudodd Mama ddoe ddwytha y bydd yn rhaid i mi a Lisi afael ynddi hi go iawn efo'n gwnïo gaea yma.

Rhyfadd ydi gweld y lleuad yn dŵad i'r golwg tua pedwar o'r gloch y pnawn, a meddwl rhyw 'chydig o wsnosa' yn ôl ein bod ni'n chwara' allan nes ei bod hi'n naw a deg o'r gloch.

Mae'r tymor wedi newid heb i mi sylwi arno fo bron iawn.

Tachwedd 7fed: Mi fydda i'n licio dyddia' fel hyn yn y gaea — sych, clir, braf, ond ei bod hi'n oer ddychrynllyd. Wrth i ni gerddad i'r ysgol roedd ein gwynt ni i'w weld fel mwg gwyn yn dod o'n cega' ni — fel tasan ni'n smocio pibell — ac wrth i ni gymryd ein gwynt i mewn, roedd o'n teimlo'n oer, oer, fel tasa dŵr yr afon yn llifo i lawr ein gyddfa' ni.

Mae 'na dwmpatha' o ddail wedi syrthio odd' ar y coed, ar ôl y gwynt mawr hwnnw gawson ni, a dyna mae Defi John yn ei 'neud bob bora rŵan, cicio'r twmpatha', nes bod y dail yn sgrialu i bob man.

Bora heddiw mi ddaethon ni ar draws llyffant bach ar ganol y lôn, yn meddwl mynd i chwilio am rwla cynnas i gael 'i gwsg gaea, mae'n siŵr. Mi wnes i ei godi fo odd' ar y lôn, a'i roid o wrth fôn y gwrych, er mwyn 'i helpu o.

Roeddan nhw'n deud yn yr ysgol heddiw bod teulu Llwyn Derw wedi cael llythyr 'run fath â geuson ni, a bod John, yr hogyn hyna wedi cael ei ladd. Fo welson ni'n dŵad odd' ar y frêc yn y pentra yr ha 'ma, a finna'n meddwl yn siŵr mai Ifan oedd o.

Dwn i ddim pam na 'neith y rhyfal 'ma orffan wir.

Tachwedd 11eg: Diwrnod Ffair Bont oedd hi heddiw. Mi fydd yn well gen i Ffair Bont mis Mai na Ffair Bont mis Tachwedd, bob amsar, am mai edrych tua'r ha y bydd ffair Mai, a ffair Dachwedd yn dod â'r gaea efo hi.

Mi gawson ni ddiwrnod gartra o'r ysgol fel arfar, ac mi aethon ni i lawr i'r ffair efo Mama, am bod pawb yn mynd, ond do'n i ddim yn teimlo fel cael hwyl yno tro yma. Mi fuon ni'n chwara'r *pull-away* a phob math o betha', ond do'n i ddim yn 'i weld o'n iawn.

Dwi'n gwbod mai fi sy'n wirion, ond do'n i ddim ishio i'r bobol 'na i gyd gael hwyl a gneud pres a hel bargeinion, ac Ifan ni wedi cael ei ladd mewn rhyw hen ryfal nad oes gynno fo ddim byd i 'neud efo ni. Tasa fo wedi aros gartra, yn y ffair basa fonta heddiw, yn cyflogi am y tymor nesa.

Tro nesa y bydd Ffair Bont, mi fydda i'n mynd yno i gyflogi am y tro cynta. O! dwi'n edrach ymlaen yn ofnadwy at hynny.

Tachwedd 14eg: Mae hi wedi bod yn pistyllio'r glaw mwya dychrynllyd ddoe a heddiw, mae hi wedi bwrw fel o grwc.

Mi fuo'n rhaid i ni newid ein dillad wedi cyrraedd i'r ysgol, a rhoi *overalls cookery* amdanon tra oedd ein dillad ni'n sychu. Mi gawson ni drochfa arall ar y ffordd adra, ac mi oeddan ni'n crynu o oer ac yn socian drwyddan yn dŵad i'r tŷ. Mi wnaeth Mama i ni newid i'n cobeni ar ein hunion, ac mi gawson ni gwpanaid o ddŵr poeth a mêl ynddo fo, bob un, i'n cnesu ni'n iawn.

Dysgu'r geiria' at Ddrama'r Geni 'dan ni wedi bod yn 'neud heno 'ma wedyn — rydan ni'n ei hactio hi ddydd Sul dwytha cyn 'Dolig yn y capal. Bugail ydi Defi John, a Lisi a fi'n angylion — wel, prif angal ydw i, mae gen i fwy o linella' na hi i'w dysgu. Dim ond rhyw "Haleliwia", "Haleliwia" yma ac acw sydd gynni hi.

Tachwedd 15fed: Dydi hi ddim wedi bwrw heddiw, felly mi ddaru ni benderfynu mynd i lawr at yr afon, i gael gweld sut olwg oedd 'na ar ôl y glaw mawr. Argian, mae hi bron iawn wedi gorlifo'i glanna', a'r dŵr llwyd yn wyn wrth bowlio dros y creigia'. Mae'r holl dyfiant lliwgar oedd ar 'i glanna' hi wedi mynd rŵan, ac mae hi'n edrach yn llwm iawn. Wrth i ni gerddad ar hyd lôn Pandy, mi oedd y dail soeglyd yn llithrig dan draed, ac mi oedd yn rhaid i ni fod yn ofalus neu mi fasan ni wedi medru slipio'n hawdd iawn.

Roedd Mama wedi'n warnio ni i ddŵad adra cyn iddi hi dwllu, ond mi fynnodd Defi John ddringo i fyny at y tŵr bach 'na sydd yn Plas Bryn. Mi ddudis i wrtho fo y basa'r cŵn ar ei ôl o, ond wnâi o ddim gwrando. Mi oedd un o'r hogia yn ei glass o yn 'rysgol wedi brolio ei fod o wedi bod i fyny yn y tŵr ar ôl iddi dwllu, ac wedi gweld ysbryd merch Plas Bryn yn cerdded o gwmpas yn 'i choban, wedyn mi oedd Defi John ishio cael brolio ei fod ynta wedi bod yno hefyd, i ddangos nad oes arno fonta ddim ofn.

Beth bynnag, ddaru o ddim mynd i'r top at y tŵr, mi oedd hi'n rhy fwdlyd i ddringo, ond erbyn iddo fo gyrraedd yn ôl aton ni, mi oedd y cymyla'n dechra' cau amdanon ni, a hitha'n llwyd-dywyll, y math o amsar pan fo rhywun yn disgwl i'r gwrachod fod allan.

Fel roeddan ni yn 'i heglu hi am adra, mi glywson ni sŵn siffrwd yn y gwrych, a'r peth nesa, mi oedd 'na glamp o rwbath mawr du wedi gwthio drwadd i'r lôn. O! mi oedd ein gwynt ni yn ein dyrna' ni, ond mi nabodon ni'r llais ar 'i union. Dic Tyrchwr oedd o, wedi bod yn potsio yng nghoed y Plas, a dwy ffesant fawr gynno fo yn ei ddwylo.

Un garw ydi Dic Tyrchwr. Mi geith goblyn o bres da amdanyn nhw.

Tachwedd 20fed: Mi fwriodd hi genllysg na fuo ffasiwn beth neithiwr, ac roedd o'n curo gymaint ar y to fel roeddan ni'n meddwl y basa fo'n dod trwadd ar ein penna' ni. Mi fuon ni'n sbio arno fo drwy'r ffenast yn sboncio fel peli bach ar yr iard, a meddwl tybed fasa fo'n aros. Doedd 'na ddim golwg ohono fo pan godon ni bora 'ma, ond mi oedd y caea' i gyd yn farrug gwyn fel tasa 'na bry cop anfarth wedi gweu clamp o we drostyn nhw i gyd. Mi fydda i wrth fy modd yn cerddad ar wellt sy'n crensian o dan fy nhraed i.

Roedd yr awyr yn las bora 'ma, fel tasa hi'n ganol ha, ond bod yr esgyrn coed yn deud fel arall.

'Sgwn i gawn ni eira cyn 'Dolig 'leni?

Ew, mae Seren a Pegi'n edrach yn oer dyddia' yma, a Sam fel tasa fo wedi blino ar yr un hen gae o hyd. Maen nhw i gyd yn sglaffio'u bwyd rêl bois hefyd.

Tachwedd 21ain: Mae Mama wedi bod yn gneud ei phwdins 'Dolig heddiw 'ma — wedi'i gadael hi'n hwyrach nag arfar, achos mi fyddan nhw'n hongian yn y bwtri gynni hi 'mhell cyn hyn fel rheol. Dwi'n meddwl mai dim ishio gorfod edrach ymlaen at y 'Dolig oedd hi achos mi oedd Ifan efo ni llynadd, a phawb yn cael hwyl dan gamp.

Mae Mama druan wedi cael annwyd trwm hefyd — tisian mae hi o hyd ac o hyd, a'i thrwyn hi wedi mynd yn goch fath â moran.

Mae hi'n dywydd rhew o hyd, a phan oeddan ni'n cychwyn allan bora 'ma, mi oedd 'na haenan dena' o rew ar wynab y gasgan ddŵr sy tu allan i'r drws.

Tada'n deud bod golwg fel tasa 'na eira yn yr awyr ers dyddia', ond ei bod hi'n rhy oer, ella, iddo fo ddŵad i lawr.

Tachwedd 29ain: Mi fuon ni'n brysur ofnadwy trwy'r wsnos dwytha, am bod gynnon ni ymarferion efo Drama'r Geni nos Fawrth a nos Iau — a Tada'n dŵad i'n nôl ni efo'r drol i ddŵad adra am ei bod hi'n rhy dywyll i ni gerddad ein hunain.

Mi fuon ni'n hel coed tân pnawn 'ma. Roedd 'na dipyn hyd y llawr, ac nid y ni oedd yr unig rai oedd allan yn hel. Mi welson ni'r hen Mrs Jones, Lawr Ynys, wedi hel rhai a'u cuddiad nhw yn y clawdd, a'u nôl nhw wedyn wrth ddod yn ei hôl o Tyddyn Parthle. Wedi bod yn edrach am Mrs Hughes oedd hi, a ddim am ddangos i honno ei bod hi'n hel coed tân ar y ffordd. Mae Mrs Jones, Lawr Ynys, yn rhoid ei hun yn dipyn o ledi am bod ei gŵr hi'n flaenor.

Rhagfyr

Rhagfyr 2il: Dyma hi'n fis Rhagfyr unwaith eto, a'r Nadolig ddim ymhell i ffwrdd. Rhyfadd meddwl bod bron i flwyddyn gyfa' wedi mynd heibio er pan ges i'r llyfr bach 'ma'n bresant gin Miss Lewis, y Fronddu. A blwyddyn ofnadwy ydi hi wedi bod hefyd. Ar ryw olwg mi fasa'n dda gen i taswn i'n medru'i hanghofio hi am byth, ond eto, mi dwi'n falch 'mod i wedi sgwennu cymaint o'r hanas i lawr, achos os na ddaw Ifan yn ei ôl i Nant-y-Wrach byth eto, mi fydd o'n fyw i mi bob tro darllena i hwn.

Mae hi wedi cnesu dipyn ar ôl y tywydd rhewllyd 'na gawson ni ym mis Tachwedd, ac mi o'n i'n sbio ar yr afon bora 'ma dros ochr y bont, a honno'n llonydd fel gwydr. Dwi bron yn siŵr i mi weld pysgodyn ynddi hi, roedd hi mor glir.

Mae'r rhan fwya o'r coed heb fawr amdanyn rŵan, a'u dillad nhw dan draed ym mhob man.

Mi dwi wedi bod yn chwerthin am ben

Twmi a Sali'r cathod bach. Rargian, maen nhw wrth 'u bodd yn rhedag ar ôl dail, a'u cario nhw i mi wedyn, fel tasan nhw wedi dal clamp o l'godan.

Rhagfyr 6ed: Mi gawson ni hen ddigwyddiad cas neithiwr — llwynog wedi cael gafael ar un o'n ieir ni, a golwg ddychrynllyd, ei phlu hi hyd bob man.

Mi oedd Tada wedi synnu'n ofnadwy achos mae o'n cau'r ieir i mewn bob nos, rhag ofn llwynog, ond mi oedd y coblyn yma wedi achub y blaen arno fo ddoe. Dwn i ddim sut na faswn i wedi clywad rywfaint o sŵn, ond dyna fo, cena' slei ydi llwynog.

Mi glywson ni bora 'ma bod Robaits, Cae Hen, wedi colli ieir hefyd, felly mae'r ffermydd o gwmpas i gyd ar *look-out* rŵan.

Hen biti ydi colli ieir cyn 'Dolig.

Rhagfyr 14eg: Mi gawson ni gwningan i swpar heno.

Mi welson ni *hunt* Plas Bryn yn mynd drwy gaea' Bronant bnawn Sadwrn. O! maen nhw'n smart yn 'u coch, a rydan ni'n gobeithio'u bod nhw wedi dal y llwynog fuo'n gneud smonath o gwmpas 'ma.

Mae Tada'n ama' bod 'na fwy nag un.

Rhagfyr 18fed: Dim ond dau ddiwrnod i fynd rŵan nes ein bod ni'n actio Drama'r Geni yn y capal. Mae'r practeisio wedi mynd yn ormod braidd rŵan, ac mi fyddwn ni'n falch o gael gorffan.

Chwara' teg i mam Agnes, Cefn Libanus, mae hi wedi bod yn rhoi te i'r tri ohonan ni ar ôl 'rysgol, pan ydan ni wedi bod yn ymarfar tan chwech.

Mae gynni hi reswm dros fod ishio i'r ddrama fod yn dda, achos Agnes ydi Mair 'leni. Ro'n i wedi meddwl ella baswn i wedi cael bod yn Mair tro 'ma.

Rhagfyr 20fed: Mi oedd llond y capal pnawn 'ma i weld Drama'r Geni. Mi ddaru ni i gyd 'neud ein partia'n iawn, heb anghofio dim byd, ond bod Wil Tom, y Lodj, wedi baglu ar y gôt hir oedd gynno fo amdano yn actio Brenin Doeth, a'r tun te oedd yn 'i law o fel thus wedi fflio o'i dd'ylo fo a glanio'n ddel ar ben het Mrs Jones, Lawr Ynys. Ar wahân i hynny, mi aeth pob dim yn ardderchog, ond ein bod ni'n nerfus ofnadwy o flaen pawb. O! ia — mi oedd Now Post i fod i weiddi "dŵ, dŵ, dŵ, dŵ" trwy ddrws y festri, i 'neud sŵn cyrn yr angylion, ond mae o wedi cael annwyd a cholli'i lais, wedyn dim ond "dŵ, dŵ" gawson ni, a sŵn tagu mawr ar 'i ôl o, ond doedd dim ots am hynny.

Ddaru Mr Thomas, gw'nidog, ddeud ar y diwadd mai honna oedd y ddrama ora' welodd o 'rioed. Mi oedd o'n medru gweld y peth yn digwydd, medda' fo.

Rhagfyr 22ain: Mi oedd yr ysgol yn cau am y 'Dolig heddiw, ac mi gawson ni ddŵad adra'n gynnar ar ôl cinio.

Erbyn i ni gyrraedd yma, mi oedd Tada wedi bod yn hel celyn, ac wedi dod â briga' mawr ohono fo i'w rhoi i fyny yn y tŷ. Ddim yn bell o Bicall y doth o o hyd iddo fo, medda' fo — mae 'na glamp o goedan gwerth ei chael yno.

Mi fuon ni'n helpu Mama i roid y celyn

i fyny o gwmpas y tŷ wedyn, ac ar ôl gorffan, roeddan ni'n teimlo go iawn bod y 'Dolig wrth y drws rŵan.

Tasa hi'n rhewi a gneud gymaint o eira fynnith hi, mi fyddwn ni'n gynnas yn fan hyn, a digon o goed i'w llosgi ar y tân, wedi cael 'u torri'n barod.

'Sgwn i be' gawn ni yn ein sana' 'leni.

Rhagfyr 23ain: Dwi ddim yn meddwl y cawn ni eira cyn 'Dolig. Mae'r awyr yn glir, ond mae 'na wynt fel chwip yn chwythu i fyny lôn Bicall 'na.

Mi ddaru Tada ladd yr ŵydd a'i phluo hi heddiw, i Mama gael ei chwcio hi fory'n barod at ddiwrnod 'Dolig. Dydi hi ddim yn ŵydd fawr iawn, achos mi fydd 'na lai ohonan ni yma 'leni.

Dydi Modryb Gwenni ddim yn dŵad i lawr aton ni o Rosgadfan 'leni chwaith, am bod ei chwaer-yng-nghyfraith hi'n mynd ati hi — felly dudodd Mama. Mi fydd hi'n rhyfadd dim ond pump o gwmpas y bwrdd, a ninna'n arfar bod yn llond tŷ.

Rargian, rydan ni wedi cael hwyl

heno 'ma, achos mi oedd Tada'n cael ei ben-blwydd heddiw, a Lisi a fi wedi bod yn gweithio ar bresant rhyngthon, heb yn wbod iddo fo na neb arall. Pâr o sana' — fi'n gweu un hosan, a Lisi'n gweu'r llall. Ddaru ni'u rhoi nhw iddo fo amsar te heddiw, ac mi ddaru o agor 'y mhresant i gynta, a deud, "Hosan i mi, wel am ddel." Mi oeddan ni'n gweld ar 'i wynab o 'i fod o'n methu dallt be 'neusa fo efo un hosan, ond pan ddaru Lisi roid 'i phresant hi iddo fo, mi oedd o'n gwbod yn syth be' oedd o am ga'l. Yr unig beth sy, mae Lisi'n un am weu'n dynn ofnadwy, pan rôth Tada'r ddwy hosan at 'i gilydd, wel mi oedd fy un i'n fawr ac un Lisi'n fach. Chwerthin ddaru o, a fedran ninna ddim peidio chwaith, er ei bod hi'n biti. Beth bynnag, mae o wedi gaddo y gneith o'u gwisgo nhw.

Rhagfyr 24ain: Dwi newydd roi fy hosan i hongian ar waelod y gwely cyn i mi ddechra' sgwennu hwn rŵan. Mi gym'ris i gip trwy'r ffenast hefyd — mae hi'n noson dawal neis, heb chwa o wynt yn nunlla.

Mae 'na sofran o leuad yn yr awyr a rhyw dipyn bach o niwl o'i chwmpas hi — dwi'n medru gweld gwynab hen ŵr y lleuad yn berffaith heno 'ma.

Gobeithio cawn ni rwbath gwerth chweil yn ein hosan, ond chawn ni ddim os na chysgwn ni, wedyn dwi am orffan sgwennu a thrio cysgu'n syth.

Rhagfyr 25ain: Hen ddiwrnod llwyd, di-liw ydi hi wedi bod tu allan heddiw, a hitha'n ddiwrnod 'Dolig. Peth braf ydi medru edrach allan ar y glaw drwy'r ffenast a ninna'n gynnas fel tôst yn y tŷ.

Mi ddaru ni godi'n gynnar, gynnar, i edrach yn ein sana', a rydan ni wedi cael 'fala a chnau ynddyn nhw a Tada wedi gneud rhwbath bach bob un i ni, yn y gweithdy. Dydi o ddim yn cymryd arno mai fo sydd wedi 'u gneud nhw, ond mi dwi'n gwbod.

Bocs pren dwi wedi'i gael, a chlo arno fo, i mi gael cadw petha'n saff — 'run fath â'r froets ges i ar fy mhen-blwydd a phetha' felly. Mi faswn i'n medru cadw llythyra'

121

ynddo fo hefyd. O! mae o'n ddel, a Tada wedi cerfio llun blodyn ar ei gaead o. Dwi wrth fy modd efo fo, ac mi fydd yn handi iawn i mi pan fydda i'n mynd i ffwrdd i weini.

Tŷ bach pren gafodd Lisi, a Tada wedi'i 'neud o i gyd allan o un blocyn, a cherfio drws a ffenestri a bob dim arno fo. Mae hi am ei roi o ar sil y ffenast, nesa' at ei hochor hi o'r gwely, medda' hi, er mwyn iddi gael sbio arno fo peth cynta yn y bore a'r peth dwytha cyn cysgu.

Cwch bach a hwyl arno fo gafodd Defi John, a llinyn yn sownd wrtho fo fel medar o'i roid o i hwylio ar yr afon, a dal ei afael ynddo fo 'run pryd, rhag iddo fo'i golli o.

Wnes i ddim mwynhau y cinio heddiw, dwn i ddim pam achos mi oedd yr ŵydd yn flasus ofnadwy, ond 'mod i'n gweld petha'n rhyfadd, dim ond ni'n pump o gwmpas y bwrdd.

Mi ddaru Tada ddeud gweddi cyn cinio, a deud fel y dylan ni gofio am deuluoedd eraill sy wedi colli rhywun yn y rhyfal, a'r holl bobol yn y byd sydd yn waeth allan na ni o'r hannar.

Mi gefais i fwy o flas ar y pwdin 'Dolig a byta clamp o bowliad nes 'mod i'n teimlo'n llawn o hyd. Fedren ni ddim mynd allan o gwbl heddiw, ond mi ffendion ni ddigon i'w wneud wrth y tân, a heno mae Mama wedi bod yn deud hanas wrthan ni sut bydda 'Dolig ers talwm, a hitha'n hogan bach.

Rhagfyr 29ain: Fedrai ddim credu bod y peth yn wir, ac er 'mod i wedi bod yn gobeithio ac yn gobeithio, hyd yn oed yn breuddwydio y medra fo fod, do'n i ddim yn credu'n wirioneddol bod y peth yn bosib.

Echdoe digwyddodd o, a does 'run ohonan ni wedi'i gymryd o i mewn yn iawn byth.

Mi oedd hi wedi gneud rhyw haenan dena' o eira dros nos, dim ond rhyw fodfadd i gyd, ond ei fod o'n ddigon i wynnu'r lôn a'r caea'. Am mai dyna'r eira cynta gaea 'ma, fedren ni'n tri ddim gweitiad nes cael mynd allan iddo fo i chwara', ac mi oeddan ni wrth ein bodd pan ddaru Tada roi llond pisar bach o laeth enwyn i ni i fynd i lawr i Miss Lewis, y Fronddu, i'r pentra.

Mi gychwynnon ni'n fuan ar ôl cael ein brecwast, ond ara iawn roeddan ni'n mynd yn ein blaena', am bod 'na stopio, a thrio gneud peli eira i daflu at ein gilydd.

Tydi hi'n syndod ein bod ni'n clywad dim un sŵn, roeddan ni'n gneud cymaint o dwrw'n hunain, ond pan ddaethon ni at y troad wrth ymyl giât Bronant, mi ddaru ni'n tri stopio'n stond wrth glywad rhywun yn dŵad i fyny'r lôn i'n cwarfod ni gan chwibianu dros bob man. Mi oeddan ni'n nabod y dôn yn iawn — "Oes gafr eto?" — wedi arfar clywad Ifan yn chwibianu cymaint arni hi o gwmpas y lle 'ma.

Ddaru ni sefyll i wrando am funud bach, a ro'n i'n gweld bod Defi John wedi cynhyrfu'n lân.

"Fo ydi o, siŵr i chi."

"Paid â bod yn wirion," medda' Lisi, "welan ni mo Ifan byth eto."

Daeth dyn tal, a barf gynno fo rownd y tro, a ro'n i'n meddwl yn siŵr mai gwas newydd Cae Hen oedd o.

"Dowch yn eich blaena'," medda' fi, ac mi gychwynnon ni gerddad.

"Be' di'r brys," medda'r dyn wrthan ni, "dydach chi ddim am ddeud croeso adra wrtha i?"

A'r munud hwnnw ddaru o'n taro ni. Roeddan ni'n methu coelio'n ll'gada', ond Ifan oedd o, go iawn, yn union fel tasa fo 'rioed wedi bod i ffwrdd. Mi 'chrynon ni am ein bywyda, ac mi 'llyngis i 'mhisar nes bod llaeth Miss Lewis, y Fronddu, hyd y lôn i gyd.

Roeddan ni ofn i ddechra', ond pan 'naethon ni sylweddoli mai fo oedd o, mi oeddan ni wedi gwirioni, ac mi ddaethon ni adra efo fo ar ein hunion. Doedd 'na ddim llaeth ar ôl i Miss Lewis erbyn hynny, p'run bynnag.

Dwn i ddim be' ddudodd Mama a Tada pan welson nhw Ifan gynta, achos mi oeddan nhw'n brysur yn y beudy, ac mi aeth o yno atyn nhw. Ew, mae pob dim wedi newid yma ar un waith, a dwi ddim yn meddwl bod neb ohonan ni wedi stopio gwenu byth.

Mi ddaru Mama nôl darn o borc o'r bwtri ar ei hunion, ac mi gawson ni ginio gwell o lawar na chinio 'Dolig noson honno, ac Ifan yn deud 'i hanas i gyd wrthan ni wedyn.

Mi oedd o'n ama'n bod ni wedi cael llythyr yn ei gylch o, medda' fo, achos mi gafodd ei anafu'n ofnadwy wrth fynd dros y top, ac oni bai bod rhyw soldiwr o Ffrainc wedi gafael ynddo fo a'i dynnu o'n ôl i lawr i un o'r ffosydd, ar ôl gweld ei fod o wedi'i glwyfo, wel mi fasa wedi canu arno fo. Mi glywodd o mewn amsar bod 'na filoedd o hogia' wedi'u lladd diwrnod hwnnw, medda' fo.

Ddaru o ddim dod ato'i hun am ddyddia', ac erbyn hynny roedd o mewn rhyw hosbitol, ac yn nabod neb o gwbl yno. Fan'no buodd o am fisoedd, a fedra fo ddim sgwennu adra i ddeud wrthan ni na dim byd.

Do'n i ddim wedi meddwl ei bod hi'n bosib i'r flwyddyn yma orffan yn hapus i ni, ond mi wn i rŵan y gneith hi, achos fydd dim rhaid i Ifan fynd yn ôl i'r rhyfal byth eto.

Dim ond un fraich sy gynno fo rŵan.

Rhagfyr 31ain: Dyma ddiwrnod dwytha'r flwyddyn wedi mynd heibio bron iawn, ac

126

mae Mama a Tada wedi deud y cawn ni'n tri aros ar ein traed i groesawu'r flwyddyn newydd efo Ifan a nhw heno, am bod gynnon ni gymaint i'w ddathlu fel teulu. Hwn ydi'r tro cynta i ni gael gneud, a rydan ni wrth ein bodd.

Mi fydd hi'n 1916 fory, a ninnau'n mynd i hel Clennig eto. 'Sgwn i sut flwyddyn 'neith hi?

Dwi wedi dŵad i fyny i'r groglofft i sgwennu hwn, er mwyn i mi gael bod ar ben fy hun i ailddarllan pob dim dwi wedi'i roi i lawr o'r dechra' un.

Wedi bod yn synfyfyrio drwy'r ffenast ydw i rŵan, ac yn meddwl cymaint o betha' sy wedi digwydd er pan ddechreuis i gadw cownt o fy hanas yn y llyfr bach del 'ma. Mae 'na ddigon o le ar ôl ynddo fo o hyd, ac mi dwi am gario 'mlaen efo fo yn y flwyddyn newydd.

Mae hi newydd ddechra' pluo eira mân, mân — ella bydd o'n dew ar lawr erbyn bora fory.